L'univers des Cocktails

Edition du Club France Loisirs, Paris,
avec l'autorisation des Editions Solar

Réalisé par Copyright pour les Editions SOLAR
Conception-adaptation : Andréa Lebelle
Coordination : Isabelle Raimond

I.S.B.N. : 2.7242.9512.9
N° d'éditeur : 26816
Dépôt légal : Septembre 1996
Imprimé par Publiphotoffset - 93000 Pantin

L'univers des Cocktails

Les 300 meilleures recettes avec ou sans alcool

Gilbert Delos

Photographies : Matthieu Prier
Stylisme : Ghislaine Descamps

FRANCE LOISIRS
123, boulevard de Grenelle, Paris

LA BIÈRE
LE TAFIA
LE GIN
LE PUNCH

LE CIDRE

LE CHAMPAGNE

Sommaire

Pour le plaisir des yeux

L'inventeur du premier cocktail restera sans doute éternellement inconnu, et les preuves historiques manquent pour dater précisément l'émergence de ce qui est devenu aujourd'hui autant un art qu'un plaisir. Mais pour que la création des cocktails soit rendue possible, il a fallu que soient réunies un certain nombre de conditions : des boissons, alcoolisées ou non, en qualité et en variété suffisantes ; des consommateurs curieux pour vouloir s'aventurer dans de nouvelles directions gustatives ; des lieux appropriés, avec des professionnels capables d'innover et de mettre au point des compositions savoureuses et originales.

Ces repères donnent davantage de précision quant à la période d'apparition des cocktails, à savoir la seconde moitié du XIXe siècle. Car c'est seulement à partir de cette période que les liquoristes et distillateurs maîtrisent assez leur savoir-faire pour proposer des boissons stables et suffisamment variées autorisant des mélanges plus complexes.
Par ailleurs, le développement commercial permet de découvrir de nouvelles boissons venues d'autres horizons. Et l'émergence d'une bourgeoisie aisée prenant plaisir à se retrouver en ville dans des établissements de qualité va donner naissance à une clientèle avide de nouveautés.

L' influence anglo-saxonne

La société britannique aura été la première à s'intéresser à ces nouvelles préparations. Son hégémonie mondiale lui permettra de découvrir en avant-première de nouveaux spiritueux tel que le rhum, qui donnera naissance aux punchs, ou des jus de fruits de plus en plus exotiques.
Par ailleurs, c'est en Grande-Bretagne que se développe le gin : cet alcool de grain, fortement réglementé dans sa production et donc plus limité dans ses parfums, constitue une base idéale pour des compositions plus aromatiques qui empruntent d'autres ingrédients venus des confins plus ou moins lointains de l'empire. Car, sous le long règne de la reine Victoria, se développe à Londres un nouveau type d'établissement, le *gin palace*, luxueusement aménagé, avec lambris, glaces taillées et fauteuils confortables. On y sert du London dry gin, accompagné de soda, de tranches de citron, puis d'eau de quinine, l'ancêtre du tonic. D'autres compositions plus sophistiquées suivront...

À la même époque, les États-Unis s'intéressent également aux cocktails. Paraît en 1862 à New York le *Bartender's Guide*, rédigé par le barman Jerry Thomas. Il y explique 236 recettes avant tout culinaires, dont treize seulement concernent les cocktails, définis comme « *une invention moderne servie à des réunions de pêcheurs ou à d'autres occasions sportives* ».
La technologie va contribuer au fort développement des cocktails puisque c'est à partir des années 1870 qu'apparaissent les premiers appareils permettant d'obtenir de la glace artificielle, un ingrédient indispensable à tout cocktail digne de ce nom.

Contes et légendes

Il serait vain de recenser toutes les histoires expliquant l'origine du mot « cocktail ». L'étymologie anglaise est certes très claire : la

et du palais

« queue de coq » désigne en effet sans équivoque une composition aux multiples couleurs, et donc aux ingrédients variés réunis dans une présentation unique.
Mais son origine précise restera à jamais inconnue. Les habitués des bars savent bien que ces lieux sont appréciés tout autant pour leurs histoires de comptoir que pour les boissons qu'on y sert. Et l'origine du mot a donné lieu à de nombreuses légendes, totalement invérifiables. On relèvera simplement un point commun à beaucoup d'entre elles : la présence d'une jeune fille, serveuse d'auberge ou fille du maître de maison, qui a un jour l'idée saugrenue de mélanger plusieurs boissons entre elles. Dans ce bastion fortement misogyne qu'ont longtemps constitué bars et débits de boissons, cette explication se révèle assez savoureuse...
Certains, pour se donner une onction divine, font de Ganymède le premier créateur de cocktails. Selon la mythologie, ce prince troyen enlevé par Zeus a été promu premier échanson de l'Olympe. De quoi se déculpabiliser de turpitudes excessivement alcoolisées...

La vogue moderne

Très vite, les cocktails vont devenir l'apanage de lieux de qualité, tels les paquebots et les avions, fréquentés par une clientèle aisée. Elle apprécie de se voir servir des boissons sophistiquées, aux compositions savantes et peu accessibles au commun des mortels.
Dès la fin du XIXe siècle, le manhattan et le martini dry sont devenus des classiques sur les deux rivages de l'Atlantique. Ils symbolisent à merveille la rencontre entre plusieurs mondes : le vermouth italien se confronte avec le bourbon américain et le gin britannique. Le mélange devient union et symbolise l'essor d'un nouveau mode de vie.
S'attaquant de front aux ravages de l'alcoolisme, la prohibition américaine va fortement contribuer à un élargissement de l'univers des cocktails. Car toute une clientèle n'admettant pas de vivre au régime sec va prendre le chemin des Caraïbes et tout particulièrement de Cuba. Elle y découvre de nouveaux arômes, apportés notamment par le rhum cubain, de très bonne qualité dès les années 1920, mais aussi par les multiples fruits tropicaux.
Ce mouvement donnera naissance à une école cubaine du cocktail, qui survit encore aujourd'hui après quarante ans de castrisme. La leçon sera mise à profit par les barmen du monde entier, qui puiseront dans le registre exotique pour élargir leur palette de recettes.

Professionnels et amateurs

Tout en découvrant en permanence de nouveaux ingrédients tels le rhum, la vodka, la tequila, les fruits exotiques, les liqueurs sophistiquées, le monde des barmen va se professionnaliser à partir des années 1940. Apparaissent des organisations professionnelles (International Bartender Association), des règles de confection des cocktails et des concours de plus en plus sérieux et appliqués. L'imagination comme le savoir-faire sont sollicités, avec le concours des grandes marques de spiritueux, qui peuvent y trouver de nouveaux arguments pour valoriser leurs produits.
Actuellement, trois pôles dominent cet univers professionnel : les Anglo-Saxons, de par leur prééminence historique ; les Italiens, à qui le vermouth et de nombreuses liqueurs originales ont donné une maîtrise des arômes complexes ; les Français, qui, champions de l'accueil et de l'art de vivre, ont su hisser l'art du cocktail au niveau de leur réputation de meilleurs cuisiniers du monde.
Parallèlement, l'usage du cocktail se démocratise et, avec la société de consommation, les mélanges savants ne sont plus uniquement réservés aux happy few. Sans prétendre rivaliser avec les professionnels, de nombreux amateurs commencent à se risquer dans l'élaboration de recettes classiques, voire à improviser des compositions personnelles.
La réalisation, voire la création, de cocktails ne doit pas trop impressionner les amateurs. Effectivement, en respectant quelques règles simples exposées dans les pages suivantes, ils peuvent obtenir assez aisément et rapidement d'excellents résultats.
De nos jours, la quasi-totalité des ingrédients sont disponibles facilement et presque partout. Quoi de plus convivial que de commencer une réunion familiale ou un dîner entre amis par quelques cocktails ! L'ambiance est tout de suite créée et permet de rompre la glace de manière attractive.
Ce qui n'empêchera pas, bien au contraire, les amateurs de fréquenter les bars et établissements où officient les professionnels du cocktail. Ils y découvriront de nouvelles compositions très originales et apprécieront l'ambiance inimitable de ces lieux où la personnalité du barman et sa convivialité comptent autant que son talent.

Les règles de base

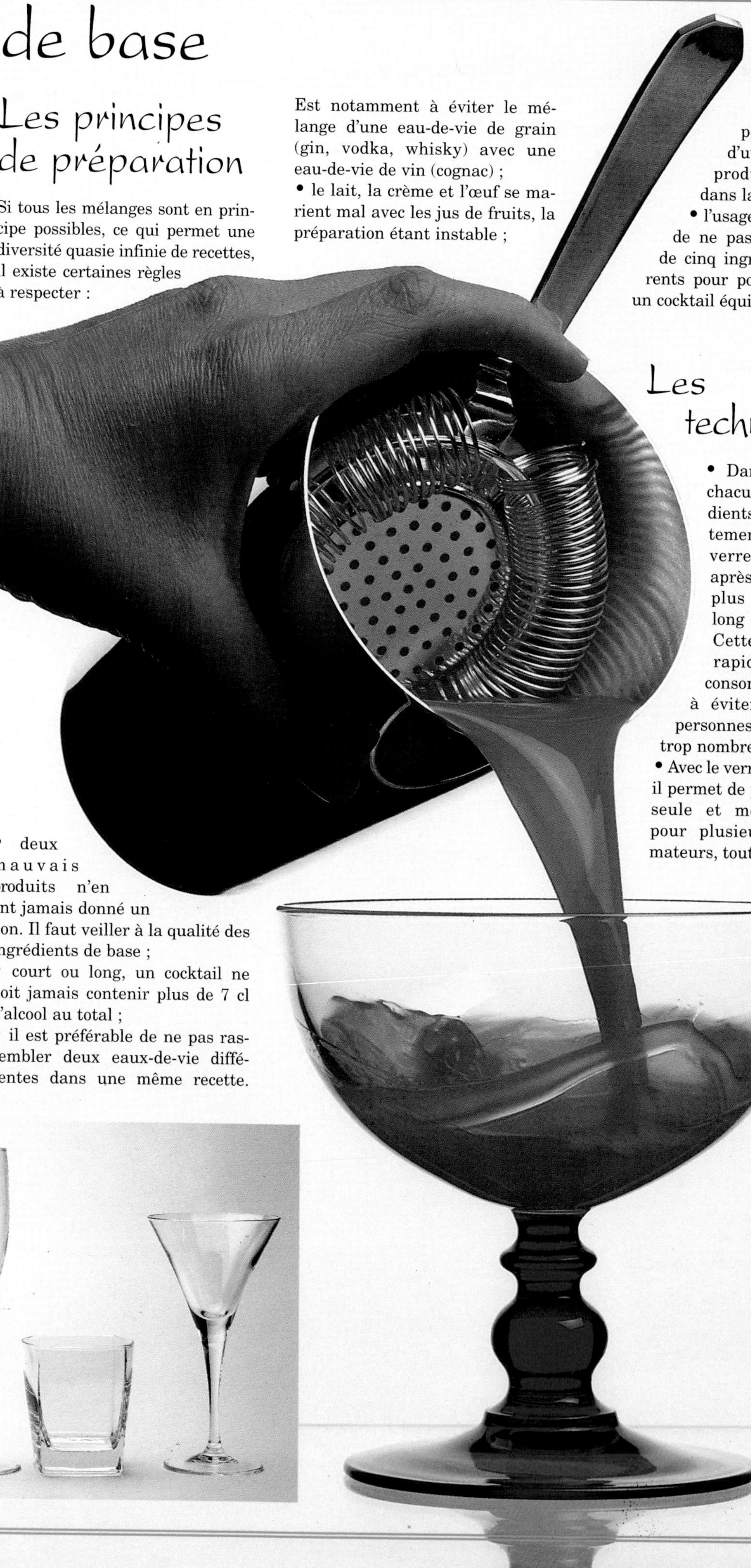

Les principes de préparation

Si tous les mélanges sont en principe possibles, ce qui permet une diversité quasie infinie de recettes, il existe certaines règles à respecter :

- deux mauvais produits n'en ont jamais donné un bon. Il faut veiller à la qualité des ingrédients de base ;
- court ou long, un cocktail ne doit jamais contenir plus de 7 cl d'alcool au total ;
- il est préférable de ne pas rassembler deux eaux-de-vie différentes dans une même recette. Est notamment à éviter le mélange d'une eau-de-vie de grain (gin, vodka, whisky) avec une eau-de-vie de vin (cognac) ;
- le lait, la crème et l'œuf se marient mal avec les jus de fruits, la préparation étant instable ;
- il faut respecter l'ordre d'utilisation des produits indiqué dans la recette ;
- l'usage recommande de ne pas utiliser plus de cinq ingrédients différents pour pouvoir obtenir un cocktail équilibré.

Les types de cocktails

Les cocktails se répartissent en deux grandes familles :

- les short drinks, d'un volume allant de 6 à 12 cl, se consomment soit à l'apéritif soit comme digestifs, et ils sont en général plutôt forts et assez alcoolisés ;
- les long drinks, d'un volume allant de 12 à 25 cl, se servent à l'apéritif ou à n'importe quel autre moment de la journée, car ils ont en fait pour caractéristique première d'être désaltérants et sont moins forts que les short drinks.

Les barmen professionnels utilisent différents termes spécifiques pour désigner certaines familles de cocktails, comme les collins, les fizzes ou les flips (voir glossaire en fin d'ouvrage).

Les techniques

- Dans le verre : chacun des ingrédients y est directement versé. Le verre sera servi après un remuage plus ou moins long à la cuillère. Cette technique, rapide pour le consommateur, est à éviter quand les personnes à servir sont trop nombreuses.
- Avec le verre à mélange : il permet de préparer une seule et même recette pour plusieurs consommateurs, tout en la rafraî-

chissant avec des glaçons. Le remuage à la cuillère doit être énergique et court (10 secondes au grand maximum).

- Avec le shaker : les ingrédients sont versés sur des glaçons. Puis, le couvercle refermé, le shaker est agité vigoureusement pendant une dizaine de secondes. Le contenu est alors transvasé, en utilisant une passoire pour éviter que les glaçons ne tombent dans les verres. Le shaker permet un mélange plus intime des ingrédients, allant jusqu'à l'obtention d'une véritable émulsion.
- Il est possible enfin d'utiliser un mélangeur électrique, ou mixer, en se servant de glace pilée.

Les dosages

Dans la grande majorité des cas, les ingrédients sont quantifiés en fractions, ce qui permet de préparer les quantités nécessaires selon le nombre de consommateurs. L'originalité d'une recette, et donc par conséquent sa qualité, repose en effet sur la proportion établie entre les différents ingrédients. C'est pourquoi les barmen professionnels n'utilisent pratiquement jamais de doseur, mais se fient au rapport à respecter entre les différentes boissons ou les différents produits utilisés.

Pour les personnes minutieuses ou inexpérimentées, il est toutefois toujours possible de quantifier en centilitres une recette.

Par exemple, pour un cocktail de 7 cl comptant trois ingrédients, A, B et C, la conversion pourrait être la suivante :

pour A, 1 / 10 x 7 cl = 0,7 cl, arrondi à 1 cl ;
pour B, 3 / 10 x 7 cl = 2,1 cl, arrondis à 2 cl ;
pour C, 6 / 10 x 7 cl = 4,2 cl, arrondis à 4 cl.
Le total est bien égal à 7 cl.

La méthode s'applique à la plupart des recettes (short drinks ou long drinks), car la quantité la plus souvent servie par verre est 7 cl, les long drinks étant complétés après mélange avec du champagne, du tonic ou du soda.

Parfois utilisée dans les recettes où ne figure qu'une seule boisson, la mesure vaut 4 cl.

Le trait, lui, désigne une faible quantité (moins d'un dixième du total des ingrédients) qui est obtenue en inclinant et en relevant aussitôt la bouteille.

Le vocabulaire

Frapper : agiter énergiquement le shaker contenant la préparation pendant une dizaine de secondes.

Givrer : tremper le rebord du verre dans du jus de citron, puis l'appliquer dans une soucoupe contenant du sucre en poudre, nature ou coloré. La technique est identique en cas d'utilisation du sel (margarita par exemple).

Passer : après mélange dans le verre à mélange ou le shaker, utiliser une passoire pour verser la préparation dans les verres afin d'empêcher le passage des glaçons.

Rafraîchir : refroidir un verre à cocktail en l'entreposant quelques heures au réfrigérateur, ou bien en y mettant un glaçon et en l'agitant pendant quelques minutes. Il ne faut pas oublier ensuite de bien éliminer l'eau résiduelle.

Zester : presser des lamelles de peau d'orange ou de citron au-dessus du verre pour en extraire les essences. Selon les recettes (et les goûts), on laisse ou non le zeste de fruit dans le verre.

Les verres

La règle de base est de choisir des verres transparents, non colorés et non surchargés en éléments décoratifs afin de mettre le plus possible en valeur les couleurs du mélange réalisé. On admet toutefois des pieds colorés et des verres décorés pour les long drinks exotiques ou rafraîchissants.

Les différents types de verres utilisables sont :

- le grand verre à pied ;
- la flûte à champagne ;
- la coupe à pied évasée ;
- le grand tumbler, verre droit de 30 à 50 cl ;
- le petit tumbler, verre droit de 15 à 30 cl ;
- l'old fashioned, verre droit et large ;
- le petit verre à pied ;
- le ballon ;
- le verre à liqueur ;
- le verre à dégustation (type cognac) ;
- le verre à anse (préparations chaudes) ou le verre équipé d'un porte-verre métallique ;
- le verre à bière, droit ou à pied.

Le bon équipement

Les indispensables

✿ un shaker. Il existe des modèles en trois parties, la timbale supérieure étant équipée d'un filtre incorporé. Mais ces shakers ont souvent des problèmes d'étanchéité. Il est donc préférable de choisir le modèle professionnel (boston shaker) en deux parties, le corps et la timbale supérieure, avec sa passoire adaptée. On optera toujours pour le métal, argenté de préférence, car le verre peut se révéler fragile et pose des problèmes d'étanchéité ;

✿ un verre à mélange avec une longue cuillère ;

✿ un seau à glaçons, isotherme de préférence ;

✿ une pince à glace ;

✿ un presse-citron ;

✿ un limonadier, tire-bouchon équipé d'une petite lame pour enlever les capsules métalliques et d'un décapsuleur ;

✿ un couteau de cuisine et une planche à découper.

Les compléments

✿ un siphon équipé d'une cartouche de gaz carbonique pour obtenir du soda ;

✿ des mesures à alcool, les plus courantes étant de 2, 4, 6 ou 8 cl ;

✿ un porte-pailles ;

✿ une râpe à muscade ;

✿ des soucoupes (pour le givrage des verres) ;

✿ une saupoudreuse à sucre ;

✿ des couteaux pour entailler et émincer les fruits ;

✿ des bouchons spécialement conçus pour fermer les bouteilles entamées ;

✿ un ouvre-boîte ;

✿ des agitateurs ;

✿ un mixer ;

✿ un Cocktail Master (marque déposée), appareil qui permet d'obtenir des superpositions en utilisant les différences de densité des boissons. Plus un liquide est alcoolisé, plus il est léger. Plus il contient de sucre, plus il est lourd.

Les ingrédients de base

Outre les différentes boissons répertoriées, les recettes de cocktail peuvent faire appel à un certain nombre d'ingrédients spécifiques :

- sel ;
- sucre en poudre ;
- muscade râpée ;
- sel de céleri ;
- Angostura ;
- Tabasco ;
- crème fraîche liquide ;
- œufs frais ;
- cannelle en poudre ;
- sauce Worcestershire ;
- chocolat en poudre ;
- café soluble.

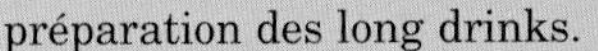

La glace

C'est l'ingrédient de base, car la majorité des recettes y fait appel pour obtenir une préparation plus rafraîchissante.
La glace doit être la plus froide et la plus sèche possible, pour éviter qu'elle n'apporte trop d'eau au cocktail. Pour cela, il faut utiliser des glaçons provenant directement d'un congélateur ou bien les conserver sur le bar dans un conservateur isotherme. En cas d'emploi du shaker ou du verre à mélange, il est important de procéder rapidement pour limiter la fonte de la glace.
Afin de ne pas retrouver dans le verre des particules solides peu esthétiques, il est souhaitable d'utiliser de l'eau déminéralisée ou le moins minérale possible (Évian, Volvic) pour fabriquer les glaçons.
La glace concassée ou pilée (soit avec un appareil spécifique, soit en frappant avec un maillet des glaçons entassés dans un torchon replié en poche) offre l'avantage de rafraîchir plus vite, mais elle apporte davantage d'eau ; on réserve de préférence son usage à la préparation des long drinks.

La décoration

Si les cocktails classiques (manhattan, martini dry) ne sont que très rarement décorés, il n'en va pas de même pour la plupart des recettes. La décoration apporte souvent la touche finale à une préparation et constitue un régal pour l'œil... avant celui du palais.
Souci du détail, harmonie des couleurs, équilibre des formes et imagination sont les maîtres mots d'une décoration réussie. Cette dernière doit enjoliver le cocktail sans pour autant le surcharger.
S'il n'existe pas de règles vraiment strictes, il est souvent préférable de reprendre un des ingrédients de base de la préparation. Mais il est tout à fait possible d'utiliser des produits qui n'ont rien à voir avec la recette. Le tout est affaire de goût et de dextérité.

Les fruits ainsi que certains légumes sont les produits les plus couramment utilisés. Ils doivent être frais, en parfait état et lavés avant leur utilisation.

Outre les fruits, notamment les fruits exotiques qui apportent des formes et des couleurs originales, on utilise le plus souvent pour la décoration des verres:

✿ les olives, vertes ou noires ;

✿ les oignons blancs ;

✿ les feuilles de menthe fraîche ;

✿ les cerises, à l'eau-de-vie
ou confites ;

✿ le concombre ;

✿ les tomates-cerises ;

✿ le chocolat en poudre.

Quant au matériel, le couteau d'office peut remplir toutes les fonctions. Il faut le choisir de grande taille (les lames les plus longues sont les plus maniables), tenant bien en main et avec une lame souple et fine. Il existe aussi des ustensiles plus spécialisés : économe, zesteur, emporte-pièce, etc.

Gin

À l'époque victorienne, à Londres, la bonne société se rendait dans des établissements de grande classe, les ***gin palaces***, pour y déguster les premiers cocktails.

Distillé à partir de céréales et aromatisé avec différentes épices, dont les baies de genévrier, le gin peut revendiquer d'avoir été le premier spiritueux élaboré en grande quantité.

Appartenant à la famille des eaux-de-vie de grain, le genever, ancêtre du gin, apparut au XVIe siècle aux Pays-Bas, où se développait, notamment dans la ville de Schiedam, la distillation à l'échelle industrielle. Rapide à produire parce qu'il ne nécessitait pas de vieillissement, cet alcool se répandit aussitôt dans toute l'Europe du Nord.

Rebaptisé gin, le genever néerlandais connut rapidement un véritable triomphe en Grande-Bretagne. Une sévère réglementation se mit en place, qui interdit bien des errements et aboutit, il y a moins d'un siècle, à la définition du London dry gin, actuellement le plus répandu.

Il s'agit d'un alcool totalement neutre et rectifié, aromatisé avec une sélection d'épices plus ou moins étendue. Si la baie de genévrier tient la première place, aux côtés de la coriandre et de l'écorce d'orange, les diverses marques existantes se différencient par le choix et la qualité des ingrédients aromatiques utilisés dans l'élaboration. Le tout est allongé d'eau pure pour atteindre le degré d'alcool souhaité (37,5° actuellement).

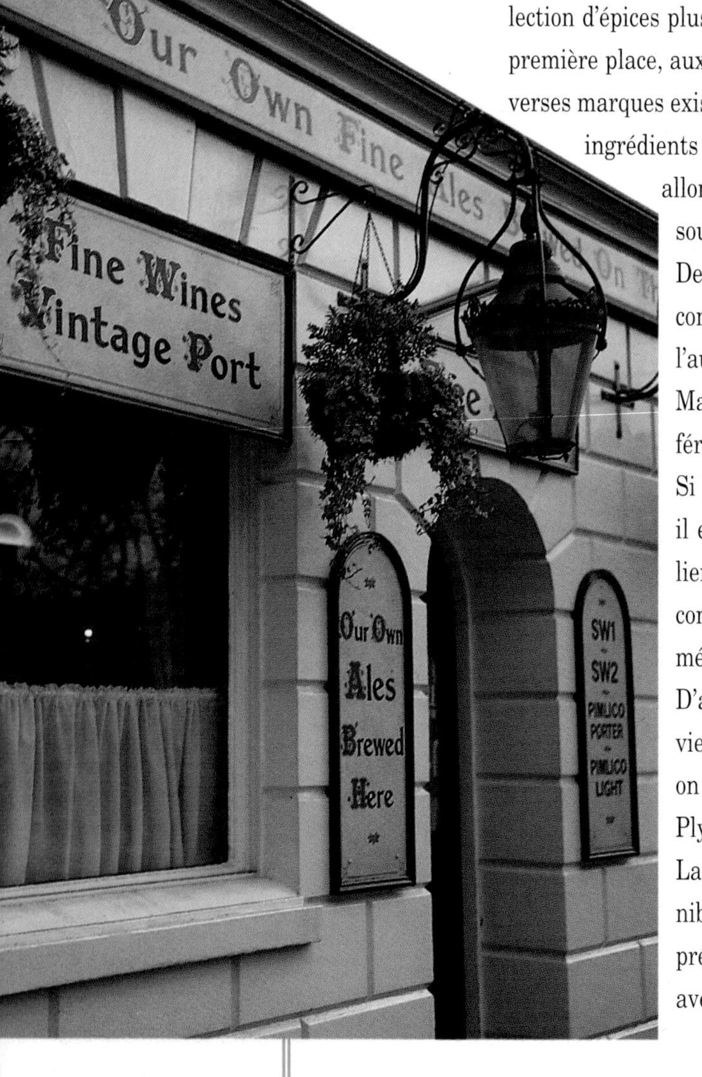

Deux techniques de fabrication sont employées : l'une consiste en une redistillation de l'alcool aromatisé ; l'autre se limite à l'addition des extraits aromatiques. Mais il ne semble pas que cela entraîne de grandes différences de goût et de qualité aromatique.

Si le style londonien a triomphé dans le monde entier, il existe d'autres eaux-de-vie de genièvre, en particulier aux Pays-Bas et dans le nord de la France. Plus complexes dans leur élaboration et leurs arômes, elles méritent davantage d'être bues nature, sans mélange. D'autant qu'elles ont d'excellentes aptitudes au vieillissement en fûts de chêne. En Grande-Bretagne, on trouve également un autre type de gin ; élaboré à Plymouth, il est plus doux et plus sucré.

La relative neutralité aromatique et la grande disponibilité du gin en firent très tôt une des eaux-de-vie préférées des barmen, car il se combinait facilement avec un grand nombre d'ingrédients.

BAR
THE LILLIE LANGTRY
HOT MEALS
SANDWICHES
PLOUGHMAN'S LUNCH
SALADS
DAILY

✿ Martini dry

Dans un verre à mélange, verser sur quelques glaçons :
- *8/10 de gin*
- *2/10 de vermouth dry.*

Remuer à la cuillère et passer aussitôt dans des verres à cocktail. Presser de fines tranches de citron et en placer une dans chaque verre. Ajouter une olive.

Ce grand classique demande une réalisation rapide pour ne pas être trop dilué.

✿ Singapore sling

Dans un shaker à demi rempli de glaçons, verser :
- *5/10 de gin*
- *5/10 de cherry brandy*
- *le jus d'un citron.*

Bien frapper puis verser dans de grands verres tumbler. Compléter avec du soda.

Plutôt doux, ce long drink se sert à tout moment, y compris après un repas, car il est assez digestif.

Martini sweet

Short drink • Apéritif

Dans un verre à mélange contenant des glaçons, verser :
- *7/10 de gin*
- *3/10 de vermouth rouge.*

Mélanger énergiquement à la cuillère et passer dans des verres à cocktail. Décorer d'une cerise confite.

Milvea

Short drink • Digestif

Dans un shaker à demi rempli de glaçons, verser :
- *6/10 de gin*
- *2/10 de crème de banane*
- *2/10 de vermouth blanc*
- *1 trait de crème fraîche liquide.*

Bien frapper. Après, passer dans des verres à cocktail. Décorer d'une cerise confite.

✿ Pink gin

Dans un verre à mélange, verser sur quelques glaçons :
- *4 cl de gin*
- *2 traits d'Angostura.*

Bien mélanger. Verser ensuite au travers de la passoire dans un verre à cocktail rafraîchi. Servir accompagné d'une carafe d'eau fraîche.

Sec et amer, ce short drink se réalise de préférence avec du gin de Plymouth, plus aromatique, mais malheureusement difficile à trouver de nos jours.

De gauche à droite :
Martini dry
Singapore sling
Pink gin
Mer de Chine
Bartender

GINGER ALE : EXCLUSIVEMENT BRITISH

Malgré une certaine homonymie, le ginger ale n'a rien à voir avec le gin. C'est une boisson gazeuse additionnée de colorant et d'essence de gingembre. Très consommée en Grande-Bretagne, elle est pratiquement inconnue hors du monde anglo-saxon. Son goût, un peu âcre et légèrement pimenté, en fait un complément très apprécié du gin, et souvent préféré à un soda au goût plus neutre ou à une eau gazeuse.

✿ Mer de Chine

Dans un shaker à demi rempli de glaçons, verser :

- *5/10 de gin*
- *2/10 de liqueur de coco*
- *3/10 de curaçao bleu.*

Frapper et servir dans des verres à cocktail. Ajouter une cerise confite.

Ce short drink moyennement fort a été créé par Michel Cailhol, professeur au lycée hôtelier de Strasbourg.

✿ Bartender

Dans un verre à mélange, verser sur quelques glaçons :

- *3/10 de gin*
- *3/10 de vermouth blanc sec*
- *2/10 de xérès*
- *2/10 de Dubonnet*
- *1 trait de Grand Marnier.*

Mélanger assez brièvement à la cuillère. Ensuite, verser au travers de la passoire dans des verres à cocktail.

Les différents goûts « secs » de ce short drink sont tempérés par le Grand Marnier.

Alaska

Short drink • Digestif

Dans un verre à mélange, verser sur quelques glaçons :

- *7/10 de gin*
- *3/10 de Chartreuse jaune.*

Bien mélanger à la cuillère et passer dans des verres à cocktail bien rafraîchis.

Kina

Short drink • Apéritif

Dans un shaker à demi rempli de glaçons, verser :

- *5/10 de gin*
- *3/10 de Byrrh*
- *2/10 de vermouth blanc.*

Frapper et passer dans des verres à cocktail. Décorer d'une rondelle de citron.

MARTINI : DE PLUS EN PLUS DRY

L'association du gin et du vermouth blanc a donné lieu à un des cocktails les plus réputés. Malgré les apparences, son nom ne viendrait pas de la célèbre maison italienne, mais d'un barman américain. Encore que les auteurs ne soient pas tous d'accord : pour certains, il s'agirait d'un certain Martini, qui aurait créé la recette pour le milliardaire John D. Rockefeller ; pour d'autres, d'un professionnel de San Francisco, Martinez Thomas, qui l'aurait inventée en 1860.
Ce qui est sûr, c'est l'évolution depuis plus d'un siècle de la composition vers un goût de plus en plus sec. À l'origine, le vermouth était mélangé à volume égal avec le gin ; aujourd'hui, il y en a quatre fois moins. Certains barmen humectent seulement les glaçons d'un peu de vermouth, le gin représentant tout le reste. D'autres ajoutent un trait d'Angostura pour rendre le mélange encore plus sec.
L'important est surtout d'utiliser des glaçons très froids et très secs afin de limiter la dilution. L'olive (non fourrée pour les puristes) n'est pas vraiment obligatoire, mais très traditionnelle. Quant au jus de citron, il en faut quelques gouttes, mais certains amateurs n'aiment pas trouver la rondelle dans leur verre.

Loren

Long drink • À tout moment

Dans un shaker à demi rempli de glaçons, verser :

- *6/10 de gin*
- *2/10 de ginger ale*
- *1/10 de jus de citron*
- *1/10 de grenadine.*

Frapper énergiquement et passer dans des verres tumbler.

Birdie

Long drink • Digestif

Dans un shaker à demi rempli de glaçons, verser :

- *4/10 de gin*
- *4/10 de liqueur Parfait Amour*
- *2/10 de crème de pêche de vigne*
- *1 trait d'Angostura bitters.*

Frapper longtemps puis passer dans des verres tumbler. Compléter d'un peu de tonic.

Yellow cab

Short drink • À tout moment

Dans un shaker à demi rempli de glaçons, verser :

- *3/10 de gin*
- *2/10 de liqueur de pêche*
- *1/10 de liqueur Safari*
- *2/10 de jus de fruit de la passion*
- *2/10 de jus de pêche.*

Bien frapper et passer dans des verres ballon.

✿ Gin fizz

Dans un shaker à demi rempli de glaçons, verser :
- *7/10 de gin*
- *3/10 de jus de citron*
- *1 cuillerée à café de sucre.*

Frapper longuement. Verser dans de grands verres. Compléter avec du soda et décorer d'une rondelle de citron.

Très désaltérant, ce long drink est en même temps assez corsé.

FOUS DU TONIC

Le gin tonic, mariage entre le gin et l'indian tonic, est à ce point devenu une tradition en Grande-Bretagne qu'il constitue une boisson à lui tout seul. Il existe même des versions toutes prêtes, en bouteilles individuelles de 25 cl. Une formule pratique pour les pique-niques, la pêche ou les excursions : il suffit de les maintenir au froid le temps nécessaire, ou encore de les servir « on the rocks ».

✿ Deep valley

Dans un grand verre, verser sur quelques glaçons :
- *3/10 de gin*
- *3/10 de curaçao bleu*
- *4/10 de jus d'ananas.*

Ajouter un peu de jus de citron et compléter à l'eau gazeuse. Bien remuer à la cuillère. Peut se décorer d'un zeste de citron en spirale et d'une cerise confite.

Un long drink coloré et rafraîchissant. Il est en fait peu alcoolisé.

✿ Red lion

Dans un shaker à demi rempli de glaçons, verser :
- *3/10 de gin*
- *2/10 de jus de citron*
- *2/10 de jus d'orange*
- *3/10 de Grand Marnier.*

Frapper et servir dans des verres à cocktail.

Aromatique et plutôt sec, ce cocktail peut être servi à tout moment, avec une préférence toutefois pour l'apéritif.

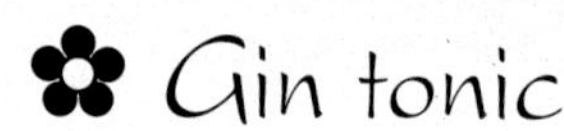

✿ Gin tonic

Dans un grand verre, verser sur quelques glaçons :
- *3/10 de gin*
- *7/10 de Schweppes Indian Tonic.*

Remuer légèrement et ajouter une tranche de citron dans les verres avant de servir.

Très britannique, ce long drink tonifiant se boit à toute heure.

Royal fizz

Long drink • Apéritif

Dans un shaker à demi rempli de glaçons, verser :
- *7 / 10 de gin*
- *3 / 10 de jus de citron*
- *1 cuillerée à café de sucre en poudre*
- *1 œuf entier extrafrais.*

Bien frapper et passer dans de grands verres. Compléter avec de l'eau gazeuse ou du soda. Bien remuer et décorer d'une rondelle de citron.

✿ Tom collins

Dans un grand verre tumbler, verser sur quelques glaçons :
- *1 cuillerée à café de sucre (ou 1 cuillerée à soupe de sirop de sucre de canne)*
- *le jus d'un citron*
- *4 cl de gin.*

Compléter avec du soda et remuer. Peut se servir avec une paille. Peut être décoré d'une tranche de citron agrémentée d'une cerise confite.

Doux et digeste. En utilisant du genever néerlandais ou du genièvre français à la place du gin britannique, on obtient alors un autre cocktail, le John collins.

Knock-out

Long drink • Apéritif

Dans un shaker à demi rempli de glaçons, verser :
- *6 / 10 de gin*
- *4 / 10 de pastis*
- *1 cuillerée à soupe de crème de menthe.*

Frapper assez rapidement et passer dans des verres tumbler. Presser le jus d'une tranche de citron et décorer de feuilles de menthe.

✿ Negroni

Dans un verre tumbler, verser sur deux glaçons :
- *4 / 10 de gin*
- *3 / 10 de vermouth rouge*
- *3 / 10 de Campari.*

Bien remuer et servir avec une demi-tranche d'orange dans les verres.

Sec et amer à la fois, ce long drink est idéal à l'apéritif.

✿ Pink lady

Dans un shaker à demi rempli de glaçons, verser :
- *6 / 10 de gin*
- *3 / 10 de jus de citron*
- *1 / 10 de grenadine.*

Bien frapper et verser dans des verres à cocktail.

Plutôt sec, ce short drink est à servir de préférence à l'apéritif.

Macady

Short drink • Digestif

Dans un shaker à demi rempli de glaçons, verser :
- *3 / 10 de gin*
- *3 / 10 de marc*
- *2 / 10 de triple-sec*
- *2 / 10 de sirop de menthe verte*
- *quelques gouttes de jus de citron.*

Frapper énergiquement et passer dans des verres à cocktail. Se décore d'une rondelle de citron.

ILS ADORENT LE GIN...

Trois ingrédients se marient très naturellement au gin et entrent dans la composition de nombreux cocktails :
— le vermouth, italien ou français, dont les arômes et la douceur arrondissent le gin. Le résultat obtenu varie énormément en fonction des quantités, selon que la sécheresse du second l'emporte ou non sur les caractères du premier. À noter que le vermouth dry, le plus amer, offre des combinaisons très intéressantes ;
— le citron, en plus ou moins grande quantité, est le complément presque indispensable du gin, son acidité réveillant, voire exaltant, ses arômes. Il suffit parfois de presser un simple zeste de citron au-dessus d'un cocktail pour en développer l'harmonie ;
— l'orange, en jus ou en liqueur, s'harmonise également bien avec le gin.

De gauche à droite :
Gin fizz
Deep valley
Red lion
Gin tonic
Pink lady
Tom collins
Negroni

✿ Bronx

Dans un shaker à demi rempli de glaçons, verser :

- *5/10 de gin*
- *1/10 de jus d'orange*
- *2/10 de vermouth rouge*
- *2/10 de vermouth blanc sec.*

Frapper et passer dans des verres à cocktail.

Goût corsé pour ce short drink à servir de préférence avant le repas.

Princess mary

Short drink • Digestif

Dans un shaker à demi rempli de glaçons, verser :

- *4/10 de gin*
- *3/10 de crème de cacao*
- *3/10 de crème fraîche liquide.*

Frapper et passer dans des verres à cocktail. Saupoudrer de muscade râpée.

✿ White lady

Dans un shaker à demi rempli de glaçons, verser :

- *6/10 de gin*
- *3/10 de Cointreau*
- *1/10 de jus de citron.*

Frapper et verser dans des verres à cocktail. Décorer d'une cerise confite.

Cette « dame blanche » est un short drink plus sec qu'il n'y paraît, et n'est donc pas réservée uniquement à la gent féminine...

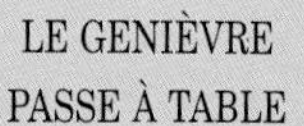

LE GENIÈVRE
PASSE À TABLE

Le goût si particulier des baies du genévrier n'est pas seulement la composante principale du gin, il se retrouve dans bien des traditions culinaires, notamment dans les pays nordiques. Les baies de genièvre sont le condiment indispensable des marinades et des courts-bouillons, des préparations de gibiers à poil (le sanglier par exemple) ou à plume, des pâtés et autres recettes à base de porc, sans oublier la choucroute, qui y gagne beaucoup en arômes.

✿ Gin and it

Dans un verre à mélange, sur quelques glaçons, verser :

- *7/10 de gin*
- *3/10 de vermouth rouge.*

Remuer à la cuillère. Verser dans des verres à cocktail. Décorer d'une cerise confite.

Un classique pour les grandes occasions, car il plaît à tous.

LA GRANDE FAMILLE DES COLLINS

Il y aurait eu à Londres à l'époque victorienne un barman appelé John Collins. Est-ce lui qui donna son nom à la famille de cocktails qui s'est développée depuis ? Difficile de l'établir avec certitude, mais les collins constituent en tout cas de grands classiques du bar. Dans leur composition entrent toujours du jus de citron et du sirop de sucre (préférable au sucre en poudre), associés à un alcool : le gin, bien sûr, et les autres genièvres, mais aussi le whiskey irlandais, le bourbon, voire le calvados ou le cognac. Il suffit de trouver le prénom pour que s'agrandisse la famille et de ne pas oublier d'ajouter un peu de soda ou d'eau gazeuse.

Juliana blue

Long drink • À tout moment

Dans un shaker à demi rempli de glaçons, verser :
- *2/10 de gin*
- *2/10 de Cointreau*
- *1/10 de curaçao bleu*
- *4/10 de jus de citron vert*
- *1/10 de crème de coco.*

Frapper énergiquement et longuement, puis passer dans des verres tumbler contenant deux glaçons. Décorer d'une demi-tranche d'ananas.

✿ Paradise

Dans un shaker à demi rempli de glaçons, verser :
- *6/10 de gin*
- *3/10 de liqueur d'abricot (Apricot Brandy)*
- *1/10 de jus d'orange.*

Frapper et verser dans des verres à cocktail.

Doux et suave, ce short drink plaira peut-être plus particulièrement aux femmes.

White lily

Short drink • Apéritif

Dans un verre à mélange, verser :
- *3/10 de gin*
- *3/10 de rhum blanc*
- *3/10 de Cointreau*
- *1/10 de pastis.*

Mélanger à la cuillère et passer dans des verres tumbler.

London

Short drink • Apéritif

Dans un verre à mélange, verser sur quelques glaçons :
- *6 cl de gin*
- *2 traits d'Angostura*
- *1 demi-cuillerée à café de sucre en poudre*
- *1 demi-cuillerée à café de marasquin.*

Remuer à la cuillère et passer dans un verre à cocktail. Agrémenter d'un zeste de citron.

✿ Macca

Dans un verre tumbler à demi rempli de glaçons, verser :
- *1/10 de crème de cassis*
- *3/10 de vermouth dry*
- *3/10 de vermouth rouge*
- *3/10 de gin.*

Remuer à la cuillère et compléter avec du soda. Exprimer le jus d'une tranche de citron avant de servir.

Un long drink pour l'apéritif, désaltérant... mais puissant tout de même.

Carin

Dans un verre à mélange, verser sur quelques glaçons :
- *6/10 de gin*
- *2/10 de Dubonnet*
- *2/10 de liqueur de mandarine.*

Mélanger à la cuillère et passer dans des verres à cocktail.

Ce short drink s'apprécie à tout moment.

✿ Saint-hubert

Dans un shaker à demi rempli de glaçons, verser :
- *2/10 de gin*
- *2/10 de Pisang Ambon*
- *5/10 de jus d'ananas*
- *1/10 de jus de citron.*

Bien frapper et passer dans des verres tumbler. Décorer d'une tranche d'ananas.

Un long drink vraiment exotique.

De gauche à droite :
Bronx
White lady
Gin and it
Paradise
Macca
Carin
Saint-hubert

Vodka

Russe ou polonaise, l'origine de la vodka se situe de toute manière à l'est de l'Europe : la « petite eau » (traduction du mot russe « voda ») est née des premiers essais de distillation des ressources agricoles de la région, à savoir les céréales (blé, orge, seigle), la pomme de terre, voire les mélasses issues de la betterave.

À partir de traditions rurales, les efforts des distillateurs vont tendre à obtenir des vodkas de plus en plus pures. La triple distillation est en effet très courante, certains en pratiquant même une quatrième lors de l'aromatisation. Pour sa part, la vodka Smirnoff s'imposera en Russie, au siècle dernier, par sa pureté supérieure, due à un procédé nouveau de filtration sur charbon de bois.

Aujourd'hui, la production de qualité est élaborée uniquement à partir de céréales, et on trouve même des vodkas pur seigle en Pologne. Dans ce pays est distillée traditionnellement toute une gamme aux arômes variés : herbe de bison (qui pousse dans le parc national où vivent les derniers bisons d'Europe), citron, baies de sorbier ou de genévrier, poivre, cerise, herbes des montagnes, miel, etc. Ces vodkas sont destinées à être consommées à table pour accompagner les plats nationaux.

On trouve également des vodkas dans les pays riverains de la Baltique, notamment en Suède, où les efforts ont porté sur l'obtention d'une pureté maximale.

Consommée nature, comme accompagnement traditionnel du caviar ou du saumon fumé, la vodka gagne à être servie très froide. Dans les restaurants russes traditionnels, elle sort du congélateur et se présente sur la table dans un récipient contenant de la glace à - 20 °C !

La pureté et la neutralité de la vodka vont lui permettre de prendre une place de premier choix dans l'élaboration des cocktails.

Les cocktails à base de vodka, des plus classiques aux plus originaux, permettent de jouer la carte des saveurs de la Russie et de l'exotisme slave.

Flocon de neige

Long drink • À tout moment

Dans un shaker à demi rempli de glaçons, verser :
- *3/10 de vodka*
- *1/10 de Galliano*
- *1/10 de Southern Comfort*
- *1/10 d'advokaat*
- *4/10 de jus d'orange.*

Frapper longuement et passer dans de grands verres. Compléter de soda et remuer. Ajouter de la crème fraîche liquide au-dessus. Décorer d'une rondelle d'orange et servir avec une paille.

LA COUSINE SCANDINAVE

L'aquavit (ou akvavit), cousin danois ou norvégien de la vodka, est parfois élaboré à base de pommes de terre, mais aussi de grains (orge, seigle, etc.). Son aromatisation avec du cumin, des fleurs de sureau, des oranges amères, voire du fenouil ou de l'anis lui donne d'autres goûts. Certains sont vieillis en fûts de chêne, et il en existe un, le Linie aquavit (distillerie Loiten), qui fait le tour du monde en bateau et passe deux fois l'équateur (la « Ligne ») avant d'être mis en bouteille. Il en revient ambré et fortement aromatique. L'aquavit se consomme bien sûr pur, glacé, notamment avec le saumon fumé et d'autres plats scandinaves. Il remplace parfaitement la vodka dans la plupart des cocktails, apportant de plus des notes originales.

 Salty dog

Humecter le rebord d'un grand verre tumbler de jus de citron et l'imprégner de sel fin. Ajouter des glaçons, puis verser :
- *3/10 de vodka*
- *7/10 de jus de pamplemousse.*

Bien remuer avant de servir.

Très rafraîchissant par le contraste entre le sel et l'acidité du pamplemousse.

Chi-chi

Long drink • Apéritif

Dans un shaker à demi rempli de glaçons, verser :
- *3/10 de vodka*
- *5/10 de jus d'ananas*
- *2/10 de crème de coco*
- *1 trait de grenadine*
- *le jus d'un citron.*

Bien frapper et passer dans des flûtes à champagne.

 Spring time

Dans un shaker à demi rempli de glaçons, verser :
- *5/10 de vodka*
- *2/10 de Cointreau*
- *3/10 de jus d'orange.*

Bien frapper et passer dans des verres tumbler. Allonger de soda ou de ginger ale. Se décore également avec un zeste d'orange ou de citron.

Un long drink très rafraîchissant.

Grand prix

Short drink • Digestif

Dans un shaker à demi rempli de glaçons, verser :
- *5/10 de vodka*
- *3/10 de vermouth blanc sec*
- *2/10 de Cointreau*
- *le jus d'un demi-citron*
- *1 trait de grenadine.*

Bien frapper et passer dans des verres à cocktail.

De gauche à droite :
Salty dog
Spring time
White spider
God mother
Flamingo
Gipsy

God mother

Dans un verre, sur quelques glaçons, verser :
- *3 / 10 d'amaretto*
- *7 / 10 de vodka.*

Bien remuer.

Ce short drink assez fort et au goût d'amande prononcé est idéal en digestif.

Flamingo

Dans un shaker à demi rempli de glaçons, verser :
- *6 / 10 de vodka*
- *4 / 10 de Campari.*

Frapper et passer dans des flûtes à champagne. Compléter avec du champagne et décorer par exemple d'une rondelle d'orange.

Un excellent apéritif... à consommer avec modération, car il est bien plus puissant qu'il n'en a l'air.

Groenland

Long drink • À tout moment

Dans un shaker à demi rempli de glaçons, verser :
- *3 / 10 de vodka*
- *2 / 10 de Cointreau*
- *4 / 10 de jus d'ananas*
- *1 / 10 de jus de citron.*

Frapper et passer dans de grands verres tumbler, puis compléter avec du tonic.

Gipsy

Dans un shaker à demi rempli de glaçons, verser :
- *6 / 10 de vodka*
- *4 / 10 de Bénédictine*
- *1 trait d'Angostura.*

Bien frapper et passer dans des verres à cocktail.

Assez puissant, ce short drink s'apprécie surtout en digestif.

Zanzerac

Short drink • Apéritif

Dans un verre à mélange, verser sur quelques glaçons :
- *4 / 10 de vodka*
- *4 / 10 de Drambuie*
- *2 / 10 de liqueur d'abricot.*

Bien remuer, puis passer dans des verres à cocktail. Ajouter une cerise confite.

✿ White spider

Dans un verre, sur quelques glaçons, verser :
- *5 / 10 de vodka*
- *5 / 10 de liqueur de menthe incolore.*

Mélanger à la cuillère. On peut décorer de quelques feuilles de menthe.

Très rafraîchissante, cette recette surprend à cause de l'emploi d'une liqueur de menthe incolore.

Gulf stream

Short drink • Apéritif

Dans un shaker à demi rempli de glaçons, verser :
- *5 / 10 de vodka*
- *5 / 10 de gin*
- *1 trait d'Angostura.*

Frapper quelques instants et passer dans des verres à cocktail, puis agrémenter d' une olive verte.

Romanoff

Short drink • Digestif

Dans un shaker à demi rempli de glaçons, verser :
- *9/10 de vodka*
- *1/10 d'anisette.*

Frapper assez longuement et passer dans des verres à cocktail. Décorer d'une demi-rondelle de citron.

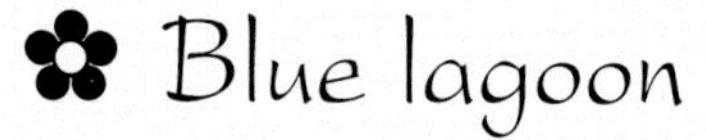

Blue lagoon

Dans un verre tumbler, verser sur quelques glaçons :
- *6/10 de vodka*
- *1/10 de curaçao bleu*
- *3/10 de jus de citron.*

Remuer à la cuillère et compléter d'eau gazeuse.

Aussi rafraîchissant à contempler qu'à déguster, même si la vodka a bien peu à voir avec les mers du Sud.

Voslau

Short drink • Digestif

Dans un shaker à demi rempli de glaçons, verser :
- *5/10 de vodka*
- *4/10 de peppermint*
- *1/10 de marasquin*
- *1 pincée de poivre de Cayenne.*

Bien frapper et passer dans des verres à cocktail.

Vodkatini

Dans un verre à mélange, verser sur quelques glaçons :
- *8/10 de vodka*
- *2/10 de vermouth blanc sec.*

Bien mélanger à la cuillère et passer dans des verres à cocktail. Décorer d'une olive.

C'est la variante à base de vodka du martini dry. Pour un plus grand contraste, choisir de préférence une vodka très aromatique, de Pologne par exemple.

Troïka

Short drink • À tout moment

Dans un shaker à demi rempli de glaçons, verser :
- *4/10 de vodka*
- *3/10 de Cointreau*
- *3/10 de jus de citron.*

Bien frapper et passer dans des verres à cocktail.

Bullshot

Dans un verre tumbler, verser :
- *5/10 de vodka*
- *5/10 de bouillon de bœuf froid*
- *2 traits de sauce Worcestershire*
- *1 ou 2 gouttes de Tabasco*
- *1 pincée de muscade râpée.*

Bien mélanger. Peut se décorer d'une tranche de citron.

Une indéniable origine britannique malgré la vodka. Un bon reconstituant après une soirée un peu arrosée...

De gauche à droite :
Vodkatini
Blue lagoon
Bullshot
Cape codder
Harvey Wallbanger
Vodka collins

TSARS ET STARS

La renommée de la vodka, alcool populaire longtemps méprisé, a commencé à s'étendre lorsque les producteurs ont obtenu la faveur des tsars russes. Pierre Smirnoff va ainsi devenir en 1886 le fournisseur officiel de la cour d'Alexandre III, grâce à sa vodka plus purifiée que les autres. Mais le règne de la Smirnoff va s'effondrer avec la chute des tsars en 1917, et c'est dans le monde occidental que la marque va retrouver une seconde jeunesse. Elle sera distillée aux États-Unis à partir de 1934. Ses débuts seront difficiles, mais elle conquerra la faveur des consommateurs en bâtissant ses campagnes publicitaires sur des stars du cinéma américain. Harpo Marx, Joan Crawford, Zsa Zsa Gabor, Woody Allen en vantent les mérites, s'appuyant sur des recettes éprouvées de cocktails, comme le Black russian ou le Moskow Mule. Car, au temps de la guerre froide, les tsars avaient plus de succès que les maîtres du Kremlin.

✿ Harvey wallbanger

Dans un grand verre tumbler, verser sur quelques glaçons :

- *3/10 de vodka*
- *7/10 de jus d'orange.*

Mélanger à la cuillère et ajouter délicatement 2 cuillerées à soupe de liqueur Galliano. Se décore aussi d'une tranche d'orange et peut être servi avec une paille.

La liqueur Galliano, si originale, métamorphose complètement la vodka orange.

Orage tropical

Long drink • À tout moment

Dans un shaker à demi rempli de glaçons, verser :

- *2/10 de vodka*
- *3/10 de rhum agricole ambré*
- *3/10 de jus d'orange*
- *1/10 de jus de citron vert*
- *1/10 de jus d'ananas*
- *1 trait d'Angostura*
- *2 traits de grenadine.*

Frapper assez énergiquement et passer dans de grands verres. Décorer de morceaux de fruits exotiques et servir de préférence avec une paille.

✿ Vodka collins

Dans un grand verre, verser :

- *5 cl de vodka*
- *1 cuillerée de sirop de sucre*
- *le jus d'un citron.*

Bien remuer à la cuillère et compléter d'eau gazeuse. Se sert aussi avec une paille.

Moins marqué en goût que le gin collins, ce long drink est tout aussi rafraîchissant.

Poméranie

Short drink • Apéritif

Dans un shaker à demi rempli de glaçons, verser :

- *6/10 de vodka*
- *2/10 de vermouth rouge*
- *1/10 de sirop de sucre*
- *1/10 de jus de citron.*

Frapper et passer dans des verres à cocktail. Ajouter un zeste de citron.

Blue night

Short drink • Digestif

Dans un shaker à demi rempli de glaçons, verser :

- *5/10 de vodka*
- *1/10 de Malibu*
- *1/10 de sirop d'orgeat*
- *3/10 de jus de pamplemousse*
- *1 trait de curaçao bleu.*

Bien frapper et passer dans des verres à cocktail. Ajouter une cerise confite.

✿ Cape codder

Dans un verre tumbler, verser sur quelques glaçons :

- *4/10 de vodka*
- *6/10 de jus de myrtille*
- *le jus d'un demi-citron.*

Bien mélanger à la cuillère et compléter d'eau gazeuse.

Très appréciée dans les pays scandinaves, la myrtille apporte à ce long drink ses vertus reconstituantes.

✿ Sourire d'ange

Dans un shaker à demi rempli de glaçons, verser :
- *3/10 de vodka*
- *3/10 de Cointreau*
- *3/10 de kirsch*
- *1/10 de grenadine.*

Frapper et passer dans des verres à cocktail. Décorer d'une cerise confite.

Un digestif assez puissant, malgré son apparente douceur : le « sourire des anges » est parfois trompeur...

✿ Black russian

Dans un verre, sur quelques glaçons, verser :
- *5/10 de vodka*
- *5/10 de liqueur de café Kahlua).*

Bien mélanger à la cuillère.

Comme son nom le laisse entendre, voilà une recette qui réchauffe les soirées les plus froides, à Moscou comme ailleurs. Une vodka russe est tout indiquée.

✿ Bloody mary

Dans un verre à mélange, verser sur quelques glaçons :
- *2/10 de vodka*
- *8/10 de jus de tomate*
- *1 ou 2 gouttes de Tabasco*
- *1 trait de sauce Worcestershire*
- *1 pincée de sel de céleri.*

Bien mélanger à la cuillère et passer dans des verres tumbler. Peut être décoré d'une demi-rondelle de citron.

Un classique qui porte le surnom de Marie Tudor, Marie la Sanglante, la grande persécutrice des protestants au XVIe siècle.

Rollerskof

Short drink • À tout moment

Dans un verre tumbler, verser sur quelques glaçons :
- *4/10 de vodka*
- *3/10 de crème de cacao*
- *3/10 de Chartreuse jaune.*

Bien mélanger à la cuillère et ajouter un zeste d'orange.

Williamski

Short drink • Digestif

Dans un shaker à demi rempli de glaçons, verser :
- *6/10 de vodka*
- *3/10 de liqueur de poire williams*
- *1/10 de St-Raphaël rouge.*

Frapper longuement puis servir dans des verres à cocktail.

Maria

Long drink • À tout moment

Dans un shaker à demi rempli de glaçons, verser :
- *5/10 de vodka*
- *4/10 de liqueur de framboise*
- *1/10 de jus de citron.*

Bien frapper et passer dans des flûtes. Compléter avec du champagne rafraîchi et décorer d'une framboise fraîche.

Strip

Long drink • À tout moment

Dans un shaker à demi rempli de glaçons, verser :
- *5/10 de vodka*
- *3/10 de liqueur de chocolat blanc*
- *2/10 de Malibu*
- *1 trait de grenadine.*

Frapper et passer dans des grands verres tumbler.

De gauche à droite :
Sourire d'ange
Black russian
Bloody mary
Screwdriver
Czarina
Moskow Mule

Long drink • À tout moment

Dans un shaker à demi rempli de glaçons, verser :
- *4 / 10 de vodka*
- *3 / 10 de peppermint*
- *3 / 10 de Pernod.*

Bien frapper et passer dans de grands verres. Compléter avec de l'eau gazeuse et quelques glaçons. Décorer de feuilles de menthe fraîche.

Barbara

Short drink • Digestif

Dans un shaker à demi rempli de glaçons, verser
- *5 / 10 de vodka*
- *3 / 10 de liqueur de cacao*
- *2 / 10 de crème fraîche liquide.*

Frapper énergiquement et passer dans des verres à cocktail. Saupoudrer de cacao.

✿ Moskow mule

Dans un grand verre tumbler, verser :
- *le jus d'un citron vert*
- *5 cl de vodka.*

Allonger de ginger ale bien frais. Remuer à la cuillère et ajouter pour finir une rondelle de citron vert et une pelure de concombre.

Une recette popularisée par Woody Allen pour la publicité de Smirnoff aux États-Unis. Un cocktail convivial, car on peut proposer aux invités de le réaliser eux-mêmes. Se boit de préférence d'un trait.

✿ Screwdriver

Dans un verre, sur quelques glaçons, verser :
- *6 / 10 de jus d'orange*
- *4 / 10 de vodka.*

Mélanger et décorer aussi d'une demi-tranche d'orange.

La classique vodka-orange, qui, en fait, a popularisé cet alcool, auprès des jeunes dans les discothèques.

Red lips

Short drink • Digestif

Dans un shaker à demi rempli de glaçons, verser :
- *5 / 10 de vodka*
- *3 / 10 de Campari*
- *2 / 10 de Grand Marnier*
- *1 blanc d'œuf*
- *1 trait d'Angostura.*

Frapper longuement et passer dans des verres à cocktail.

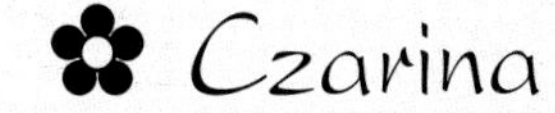

Dans un verre à mélange, verser sur quelques glaçons :
- *5 / 10 de vodka*
- *3 / 10 de vermouth blanc sec*
- *2 / 10 de liqueur d'abricot*
- *1 trait d'Angostura.*

Mélanger à la cuillère et passer dans des verres à cocktail.

D'origine russe, ce cocktail réclame une vodka très alcoolisée et, de ce fait, se consomme en digestif.

Tequila

Dépaysement, exotisme et recherche de nouvelles saveurs sont sans aucun doute à l'origine du succès que connaît aujourd'hui la tequila.

Le Mexique peut se vanter d'avoir réussi un joli coup avec la tequila. Cette eau-de-vie est élaborée à une grande échelle à partir d'une plante d'Amérique centrale, l'agave bleu. Elle a su générer des modes de consommation spécifiques, en rapido (avec du tonic) ou accompagnée de sel et de citron vert, sans oublier la margarita, le cocktail qui l'a rendue célèbre aux États-Unis.

L'élaboration de la tequila est d'abord affaire de patience. Car l'agave bleu, qui n'est pas un cactus, malgré son apparence, mais un cousin de l'amaryllis et du narcisse, peut vivre dix ans et plus avant son unique floraison. Cette floraison terminée, il faut aller ramasser le fruit qui se niche au milieu des feuilles, la *piña*. Une fois nettoyées, les *piñas* sont cuites à la vapeur pendant un jour ou deux. Après broyage et pressurage, elles donnent un jus sucré, le *pulque*, qui fermente naturellement. Légèrement pétillant, ce dernier était connu des Indiens mexicains de longue date, mais il aura fallu la conquête espagnole pour qu'on imagine de le transformer en alcool à l'aide d'un alambic.

La tequila proprement dite provient d'une seule province mexicaine, le Jalisco, où se trouve d'ailleurs un village du nom de Tequila. Mais il existe dans d'autres provinces des alcools distillés à partir de l'agave : ils sont regroupés sous l'appellation de mezcal. La différence est assez évidente à la dégustation : la tequila est plus fine et plus équilibrée, alors que le mezcal, plus aromatique, est plus gras et plus lourd en bouche.

Par ailleurs, on commence à trouver des tequilas vieillies, et donc légèrement colorées : elles prennent la dénomination de reposado au bout de quelques semaines et s'appellent añejo après six mois au minimum de vieillissement en fûts de bois blanc.

Les seules qualités aromatiques de la tequila et du mezcal ne suffisent pas à expliquer l'engouement qu'ils connaissent depuis une dizaine d'années. C'est plutôt du côté des valeurs exotiques dont ils sont porteurs qu'il faut aller en chercher les raisons. Leur consommation suscite en effet un dépaysement certain, surtout quand elle accompagne d'autres préparations mexicaines comme le guacamole (purée d'avocats), les sauces pimentées à base de tomates ou de poivrons, sans oublier les chips et les galettes de maïs.

Quoi qu'il en soit, la tequila constitue une excellente base de cocktail, se combinant aisément avec de nombreux ingrédients.

✿ Caramba

Dans un shaker à demi rempli de glaçons, verser :
- *4/10 de tequila*
- *3/10 de liqueur de café (Tia Maria)*
- *2/10 de Bénédictine*
- *1/10 de crème fraîche liquide.*

Frapper et passer dans de petits verres tumbler. Avant de servir, saupoudrer un peu de café au-dessus du verre.

Idéal comme digestif, ce short drink n'est pas à conseiller à ceux qui veulent se coucher de bonne heure.

Azteca

Long drink • À tout moment

Dans le bol d'un mixer, verser sur de la glace pilée :
- *5 cl de tequila*
- *le jus d'un citron vert*
- *1 demi-cuillerée à café de sucre en poudre*
- *1 morceau de mangue.*

Actionner le mixer quelques secondes. Passer ensuite la préparation dans de grands verres tumbler et décorer d'une tranche de citron vert.

COMME À MEXICO

Popularisée seulement dans les années 1980 par des films comme « Au-dessous du volcan » ou « 37,2° le matin », la tequila doit en fait une bonne part de son succès à ses modes assez particuliers de consommation, tels que les pratiquent les Mexicains.
Dans les bars, elle est servie avec du sel, dont on dépose une partie sur le dos de la main. Après l'avoir léché, on avale d'un coup un petit verre de tequila. Autres variantes : mordre dans un quartier de citron vert ou encore croquer un petit piment! Le contraste avec l'alcool est percutant. Quant au rapido, il consiste à ajouter du tonic dans un verre contenant de la tequila, puis, en couvrant le tout de la main, à donner un coup sec sur le bar, ce qui provoque l'effervescence du mélange. On avale ensuite le tout d'un trait. Il ne reste plus qu'à recommencer... Un spectacle visuel et sonore qui ne manque pas d'allure!
Mais la tequila peut aussi se déguster plus tranquillement, notamment les variétés qui ont séjourné en fûts, et qui sont donc plus ou moins ambrées. La tequila reposado n'y fait qu'un séjour de quelques semaines, alors que l'añejo connaît un vieillissement minimal de six mois.

✿ Tequila sunrise

Dans un grand verre tumbler, verser sur quelques glaçons :
- *7/10 de jus d'orange*
- *3/10 de tequila.*

Bien remuer et ajouter au final de la grenadine afin de créer un effet de couleur rouge dans le bas du verre. Peut également se décorer d'une demi-tranche d'orange.

Assez doux et désaltérant, ce long drink a les couleurs du soleil levant.

Bloody bull

Short drink • À tout moment

Dans un verre old fashioned, verser sur quelques glaçons :
- *2/10 de tequila*
- *le jus d'un demi-citron*
- *4/10 de jus de tomate*
- *4/10 de bouillon de bœuf refroidi.*

Ajouter selon le goût un peu de sel de céleri et mélanger à la cuillère. Décorer d'une branche de céleri.

✿ Rondo

Dans un verre à mélange, verser sur quelques glaçons :
- *4/10 de tequila*
- *2/10 de vermouth rouge*
- *2/10 de Campari*
- *2/10 de liqueur de fraise des bois.*

Mélanger doucement à la cuillère et passer dans des verres à cocktail rafraîchis. Décorer en saison de fraises des bois ou, à défaut, d'une cerise à l'eau-de-vie.

Un short drink bien plus détonant qu'il n'y paraît au goût.

De gauche à droite :
Caramba
Tequila sunrise
Rondo
Durango
Margarita
Acapulco
Abakila

✿ Durango

Dans un shaker à demi rempli de glaçons, verser :

- *3/10 de tequila*
- *6/10 de jus de pamplemousse*
- *1/10 d'amaretto.*

Frapper énergiquement et passer dans de grands verres tumbler. Compléter avec de l'eau gazeuse. Peut également se décorer d'une demi-tranche de pamplemousse.

Dans ce long drink désaltérant, l'acidité du pamplemousse s'harmonise bien avec la puissance de la tequila et l'amande.

✿ Abakila

Dans un shaker à demi rempli de glaçons, verser :

- *3/10 de tequila*
- *2/10 de liqueur de banane*
- *1/10 de Kibowi*
- *4/10 de jus d'ananas.*

Bien frapper et passer dans des verres à cocktail. Peut se décorer, au choix, avec des tranches de kiwi, de banane ou d'ananas.

Plutôt doux, ce short drink est une bonne entrée en matière pour un repas exotique.

✿ Margarita

Dans un shaker à demi rempli de glaçons, verser :

- *6/10 de tequila*
- *3/10 de Cointreau*
- *1/10 de jus de citron.*

Bien frapper et servir dans des verres à cocktail dont on aura préalablement givré les bords en les humectant de jus de citron et de sel fin. Se décore éventuellement d'une demi-rondelle de citron vert.

Selon le goût (et le moment...), on peut varier les proportions en renforçant la quantité de jus de citron.

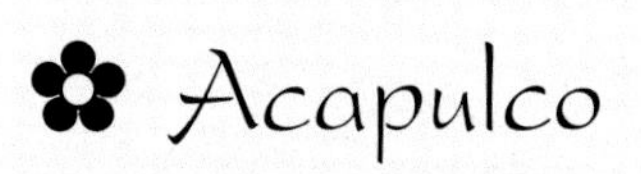

✿ Acapulco

Dans un shaker à demi rempli de glaçons, verser :

- *3/10 de tequila*
- *4/10 de nectar de fruit de la passion*
- *2/10 de liqueur d'abricot*
- *1/10 de curaçao bleu.*

Bien frapper et passer dans de grands verres tumbler. Peut également se décorer d'une tranche de citron.

Un long drink rafraîchissant qui s'appréciera à tout moment.

✿ Sombrero

Dans un verre à mélange, verser sur quelques glaçons :
- *4/10 de tequila*
- *4/10 de Drambuie*
- *2/10 de vermouth dry.*

Mélanger délicatement à la cuillère et passer dans des verres à cocktail rafraîchis. Se décore aussi d'une demi-rondelle de citron.

À la fois doux et sec, ce short drink s'apprécie tant à l'apéritif qu'en fin de repas.

Ever green

Short drink • Apéritif

Dans un verre à mélange, verser sur quelques glaçons :
- *2/10 de tequila*
- *1/10 de peppermint*
- *1/10 de Galliano*
- *6/10 de jus d'ananas.*

Bien remuer à la cuillère et passer dans des verres à cocktail rafraîchis. Décorer avec des feuilles de menthe.

Zapata

Short drink • Digestif

Dans un verre à mélange, verser sur quelques glaçons :
- *7/10 de tequila*
- *2/10 de liqueur de café*
- *1/10 de Cointreau.*

Mélanger soigneusement et passer dans des verres à cocktail rafraîchis. Décorer d'une cerise à l'eau-de-vie et d'un grain de café.

Tremblement de terre

Long drink • Apéritif

Dans un shaker à demi rempli de glaçons, verser :
- *6/10 de tequila*
- *2/10 de liqueur de fraise*
- *2/10 de grenadine*
- *2 gouttes d'Angostura.*

Bien frapper et passer dans de grands verres tumbler. Décorer si possible avec une fraise sur bâtonnet.

Feria

Long drink • À tout moment

Dans un shaker à demi rempli de glaçons, verser :
- *5/10 de tequila*
- *2/10 de Safari*
- *3/10 de sirop de framboise.*

Frapper énergiquement et passer dans de grands verres tumbler. Compléter avec de l'eau gazeuse et décorer avec quelques framboises.

✿ TNT

Dans un grand verre tumbler à demi rempli de glaçons, verser :
- *le jus d'un demi-citron vert*
- *5 cl de tequila*

Compléter avec de l'"indian tonic, mélanger et décorer, entre autres, d'une demi-tranche de citron vert.

Rafraîchissant avant tout, ce long drink est tout de même moins explosif que son nom ne le fait craindre.À boire tout de même avec modération.

Diablo

Long drink • Apéritif

Dans un shaker à demi rempli de glaçons, verser
- *6/10 de tequila*
- *4/10 de crème de cassis.*

Frapper énergiquement, passer dans des verres tumbler et compléter avec du tonic bien frais, avant de servir.

Bananas

Short drink • Apéritif

Dans un shaker à demi rempli de glaçons, verser :
- *3/10 de tequila*
- *2/10 de Campari*
- *1/10 de liqueur de banane*
- *4/10 de jus d'ananas.*

Bien frapper et passer dans des verres à cocktail. Décorer d'un morceau d'ananas.

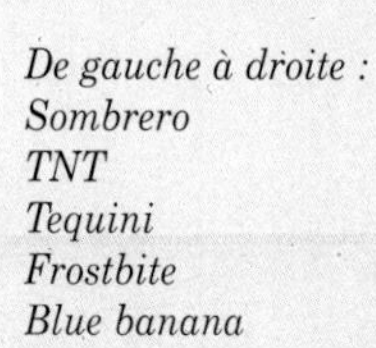

De gauche à droite :
Sombrero
TNT
Tequini
Frostbite
Blue banana

✿ Frostbite

Dans un shaker à demi rempli de glaçons, verser :
- *4/10 de tequila*
- *3/10 de liqueur de cacao incolore*
- *3/10 de crème fraîche liquide.*

Frapper énergiquement et passer dans des verres à cocktail rafraîchis. Saupoudrer de muscade râpée.

Un short drink qui cache bien son jeu, car sa puissance est masquée par une douceur très séductrice.

Casamance

Short drink • Digestif

Dans un verre à mélange, verser sur quelques glaçons :
- *3/10 de tequila*
- *5/10 de liqueur de chocolat blanc*
- *2/10 de crème de menthe incolore*
- *1 trait de curaçao bleu.*

Bien remuer à la cuillère. Passer dans des verres à cocktail et saupoudrer de chocolat amer.

✿ Blue banana

Dans un shaker à demi rempli de glaçons, verser :
- *3/10 de tequila*
- *3/10 de nectar de banane*
- *2/10 de liqueur de pêche*
- *1/10 de liqueur de fraise des bois*
- *1/10 de curaçao bleu.*

Frapper et passer dans de grands verres tumbler. Compléter avec de l'eau gazeuse et décorer, entre autres, de rondelles de banane et de morceaux de fraise.

Désaltérant avant tout, ce long drink exotique s'appréciera tout particulièrement par temps chaud.

✿ Tequini

Dans un verre à mélange, verser sur quelques glaçons :
- *8/10 de tequila.*
- *2/10 de vermouth dry*

Remuer doucement et passer dans des verres à cocktail. Ajouter un zeste d'orange.

Version mexicaine du martini dry, ce short drink permet de mesurer les différences de goût entre tequila et gin.

Torreon

Short drink • Digestif

Dans un shaker à demi rempli de glaçons, verser :
- *4/10 de tequila*
- *3/10 de liqueur de chocolat blanc*
- *3/10 de crème fraîche liquide.*

Bien frapper et passer dans des verres à cocktail rafraîchis. Saupoudrer de chocolat amer.

Issu de la canne à sucre, le rhum, incolore ou ambré, industriel ou agricole, est une invitation au voyage à Cuba, aux Antilles ou à l'île de la Réunion.

Même si l'image du rhum est étroitement associée au Nouveau Monde, la plante dont il est issu, la canne à sucre, n'en est pas originaire, puisqu'elle était déjà cultivée en Chine et aux Indes. Mais c'est aux Amériques, et tout particulièrement aux Antilles, que la canne à sucre prospéra, peu de temps après la colonisation espagnole.

On eut rapidement l'idée d'utiliser les résidus que laissait l'extraction du sucre pour produire une boisson alcoolisée, d'abord destinée aux besoins locaux. Les premières mentions écrites de cette distillation remontent au XVIIe siècle. Aujourd'hui, le rhum est obtenu par deux modes principaux d'élaboration.

Le distillateur peut traiter directement le jus sucré de la canne, le vesou. Après fermentation naturelle, la distillation fournit soit un alcool blanc, immédiatement commercialisé, soit, au terme d'un séjour plus ou moins long en fûts, un alcool ambré. Ce sont les rhums agricoles, les plus aromatiques et les plus aptes au vieillissement, dont les Antilles françaises ainsi que l'île de la Réunion se sont fait une spécialité.

Selon la seconde technique, on extrait du vesou tous les sucres cristallisables et le reste, la mélasse, est ensuite distillé. Le résultat, le rhum industriel, nettement moins aromatique que le rhum agricole, est souvent commercialisé à un degré d'alcool relativement faible. Certains de ces rhums sont colorés pour être utilisés en pâtisserie notamment. Du fait de la législation protégeant la production des Antilles françaises, ces rhums légers et incolores sont presque inconnus en France, alors qu'ils sont très largement répandus aux Amériques. Cuba et d'autres îles de la région ont d'ailleurs une grande tradition en matière de cocktails à base de rhum. Elle remonte à l'époque de la prohibition américaine, qui a amené de nombreux Américains fortunés à venir se détendre... et consommer des boissons alcoolisées à La Havane. Cet afflux de clientèle a donné naissance à une véritable école de barmen cubains, qui n'a pas complètement disparu malgré près de quarante ans de régime castriste.

Il existe d'autres pays producteurs de rhum, parmi lesquels le Brésil, où l'eau-de-vie de canne a pris le nom de cachaça, ou encore le Guyana et la Barbade. Mais leurs alcools sont pratiquement introuvables en France.

✿ Coucher de soleil

Dans un verre à mélange, verser sur quelques glaçons :

- *4/10 de rhum blanc*
- *4/10 de Bénédictine*
- *1/10 de grenadine*
- *1/10 de crème fraîche liquide.*

Frapper énergiquement et passer dans des verres à cocktail rafraîchis.

Comme son nom l'indique, ce soft drink est à conseiller plutôt après le repas.

✿ Piña colada

Dans un shaker à demi rempli de glaçons, verser :

- *3/10 de rhum blanc*
- *2/10 de liqueur de coco*
- *5/10 de jus d'ananas*
- *1 trait de crème fraîche liquide.*

Bien frapper et passer dans de grands verres tumbler. Décorer de morceaux d'ananas.

On peut opacifier davantage ce cocktail en choisissant de préférence une crème de coco.

✿ Bahamas

Dans un shaker à demi rempli de glaçons, verser :

- *3/10 de rhum blanc*
- *3/10 de Southern Comfort*
- *3/10 de jus de citron*
- *1/10 de crème de banane.*

Frapper et passer dans des verres à cocktail. Les décorer d'une ou plusieurs rondelles de banane.

D'une douceur très agréable, ce short drink constitue un excellent apéritif.

Les rhums agricoles, notamment les qualités vieillies pendant plusieurs années, peuvent se boire pour eux-mêmes. Mais leur puissance aromatique, celle des rhums blancs en particulier, est également très appréciée dans les cocktails : planteur, daiquiri, ti-punch. Leur saveur se marie très bien avec un grand nombre d'ingrédients, alcoolisés ou non, dont les jus de fruits exotiques. Ils constituent un des spiritueux préférés des professionnels du bar, car leurs arômes caractéristiques se combinent à une réelle finesse de goût.

Greenbowi

Long drink • Apéritif

Dans un shaker à demi rempli de glaçons, verser :

- *6/10 de rhum blanc*
- *4/10 de liqueur de kiwi (Kibowi).*

Bien frapper et passer dans des verres old fashioned. Compléter avec de l'indian tonic. Décorer d'une ou plusieurs rondelles de kiwi.

✿ Tropiques

Dans une flûte à champagne, verser :

- *6/10 de jus d'orange*
- *1/10 de grenadine*
- *3/10 de rhum blanc.*

Mélanger légèrement et compléter avec du champagne.

Un apéritif tout particulièrement recommandé pour les buffets.

Panthère rose

Long drink • Apéritif

Dans un shaker à demi rempli de glaçons, verser :

- *3/10 de rhum blanc*
- *3/10 de crème de pêche*
- *1/10 de liqueur de fraise*
- *2/10 de jus de citron*
- *1/10 de jus d'ananas.*

Bien frapper et passer dans des verres tumbler contenant quelques glaçons. Décorer avec une fraise.

Zombie

Short drink • À tout moment

Dans un shaker à demi rempli de glaçons, verser :

- *3/10 de rhum brun*
- *2/10 de liqueur de coco*
- *1/10 de liqueur de café*
- *4/10 de jus de goyave.*

Frapper et passer dans des verres à cocktail, en ajoutant éventuellement 1 trait de crème fraîche liquide.

South coffee

Long drink • Digestif

Dans un shaker à demi rempli de glaçons, verser :

- *4/10 de rhum brun*
- *4/10 de café froid très fort*
- *2/10 de liqueur de vanille*
- *1 jaune d'œuf*
- *1 trait de crème fraîche liquide*
- *1 cuillerée à café de sucre de canne en poudre.*

Frapper énergiquement et passer dans des verres tumbler. Terminer en saupoudrant de cannelle.

✿ Scorpion

Dans un shaker à demi rempli de glaçons, verser :

- *4/10 de rhum blanc*
- *1/10 de cognac*
- *2/10 de jus d'orange*
- *2/10 de jus de citron*
- *1/10 de sirop d'orgeat.*

Frapper énergiquement et passer dans des coupes à fruits ou à champagne.

La tradition veut que ce cocktail très élégant soit décoré d'une fleur de gardénia. Elle n'est cependant pas indispensable pour pouvoir l'apprécier...

De gauche à droite :
Coucher de soleil
Piña colada
Bahamas
Tropiques
Scorpion

✿ Daiquiri

Dans un shaker à demi rempli de glaçons, verser :
- *6/10 de rhum blanc*
- *3/10 de jus de citron*
- *1/10 de sirop de sucre de canne.*

Bien frapper et passer dans des verres à cocktail.

Portant le nom d'une ancienne mine de fer de Cuba, ce short drink classique, appelé parfois ti-punch, peut s'aromatiser avec de nombreux jus de fruits frais.

Santiago

Short drink • Apéritif

Dans un shaker à demi rempli de glaçons, verser :
- *6/10 de rhum blanc*
- *3/10 de liqueur d'abricot*
- *1/10 de jus de citron.*

Frapper et passer dans des verres à cocktail rafraîchis.

✿ Bacardi

Dans un shaker à demi rempli de glaçons, verser :
- *6/10 de rhum Bacardi*
- *3/10 de jus de citron*
- *1/10 de grenadine.*

Bien frapper et passer dans des verres à cocktail.

Confectionné avec le rhum le plus vendu dans le monde, très différent des rhums blancs antillais, ce short drink, plus léger que le daiquiri, s'apprécie à tout moment.

✿ Astronaute

Dans un shaker à demi rempli de glaçons, verser :
- *3/10 de rhum blanc*
- *3/10 de vodka*
- *3/10 de jus de citron*
- *1/10 de jus de fruit de la passion.*

Frapper et passer dans des verres tumbler contenant des glaçons. Peut se décorer d'une rondelle de citron.

Assez fort, voire capable de vous envoyer dans l'espace, ce long drink peut être complété avec du soda.

De gauche à droite :
Daiquiri
Bacardi
Astronaute
Adios amigos
Louisiana flip
Côte fleurie

✿ Adios amigos

Dans un shaker à demi rempli de glaçons, verser :
- *3/10 de rhum blanc*
- *2/10 de vermouth dry*
- *2/10 de cognac*
- *2/10 de gin*
- *1/10 de jus de citron.*

Frapper et servir dans des verres à cocktail rafraîchis.

Après un tel mélange détonant, il ne reste plus en effet qu'à dire bonsoir...

Foxtrot

Short drink • Apéritif

Dans un shaker à demi rempli de glaçons, verser :
- *6/10 de rhum blanc*
- *1/10 de curaçao orange*
- *3/10 de jus de citron.*

Bien frapper et passer dans des verres à cocktail.

✿ Louisiana flip

Dans un shaker à demi rempli de glaçons, verser :
- *7/10 de rhum blanc*
- *1/10 de triple-sec*
- *1/10 de grenadine*
- *1/10 de jus d'orange*
- *1 jaune d'œuf.*

Bien frapper quelques minutes et passer dans des flûtes à champagne.

Un flip un peu plus original que les classiques, aromatique et puissant.

✿ Côte fleurie

Dans un verre à mélange, verser sur quelques glaçons :
- *6/10 de rhum blanc*
- *3/10 de curaçao bleu*
- *1/10 de Pisang Ambon.*

Mélanger à la cuillère. Passer dans des verres tumbler. Compléter d'indian tonic.

Très décoratif et attrayant, ce long drink est également bien désaltérant.

Waterloo

Long drink • À tout moment

Dans un verre tumbler, verser sur quelques glaçons :
- *3/10 de rhum blanc*
- *7/10 de jus d'orange.*

Mélanger à la cuillère, puis ajouter délicatement 1 trait de liqueur de mandarine et servir sans remuer.

✿ Green island

Dans un shaker à demi rempli de glaçons, verser :
- *3/10 de rhum blanc*
- *2/10 de crème de banane*
- *1/10 de liqueur de cacao blanc*
- *4/10 de jus d'ananas.*

Frapper et passer dans des verres tumbler. Terminer en ajoutant 1 trait de curaçao bleu. Peut se décorer d'une rondelle de banane entre deux demi-cerises confites.

Désaltérant, ce long drink est tout de même assez fort. Il dépayse tant par ses arômes exotiques que par sa puissance.

Henry

Short drink • Apéritif

Dans un verre à mélange, verser sur quelques glaçons :
- *5/10 de rhum blanc*
- *3/10 de Picon*
- *1/10 de cherry brandy*
- *1/10 de liqueur de poire.*

Bien mélanger à la cuillère et passer ensuite dans des verres à cocktail. Ajouter un zeste de citron.

CACHAÇA CAÏPIRINHA

Au Brésil, l'eau-de-vie de canne à sucre a pour nom officiel cachaça. Cette dénomination lui permet notamment de contourner le protectionnisme français qui taxe lourdement les rhums non produits dans les DOM-TOM. Très populaire au Brésil, la cachaça possède une finesse de goût bien spécifique et des arômes différents des autres rhums blancs. Elle a donné naissance à un cocktail particulier, le Caïpirinha : dans un verre, on écrase au pilon pendant quelques minutes des morceaux de citron vert coupé en dés avec 3 cuillères de sucre en poudre. On verse par dessus 4 cl de cachaça et on complète avec deux glaçons ou de la glace pilée.
Autre recette typiquement brésilienne, le Batida associe la cachaça et le lait de coco (dans des proportions 1/3 - 2/3). Le tout est servi bien glacé.

Blue sea

Dans un shaker à demi rempli de glaçons, verser :
- *3/10 de rhum blanc*
- *2/10 de Cointreau*
- *2/10 de curaçao bleu*
- *2/10 de jus de citron*
- *1/10 de pastis*
- *1 blanc d'œuf.*

Frapper jusqu'à ce que la préparation mousse bien, puis passer dans de grands verres tumbler. Compléter avec de l'indian tonic. Peut également se décorer d'une tranche de citron agrémentée d'une cerise confite.

Plutôt désaltérant, ce long drink se sert à tout moment de la journée, de préférence si le soleil est au rendez-vous.

✿ Azzuro

Dans un shaker à demi rempli de glaçons, verser :
- *3/10 de rhum blanc*
- *1/10 de Malibu*
- *1/10 de Cointreau*
- *5/10 de jus d'ananas.*

Frapper et passer ensuite dans des verres à cocktail rafraîchis.

Un soft drink dont la douceur apparente ne doit pas faire illusion : à servir plutôt en digestif.

Vibration

Short drink • Digestif

Dans un shaker à demi rempli de glaçons, verser :
- *4/10 de rhum blanc*
- *3/10 de Marie Brizard*
- *3/10 de Cointreau.*

Frapper et passer dans des verres à cocktail rafraîchis.

✿ Planteur

Dans un grand verre tumbler, verser sur quelques glaçons :
- *4/10 de rhum blanc*
- *2/10 de jus de citron*
- *2/10 de jus d'orange*
- *2/10 de jus d'ananas*
- *1 trait de marasquin*
- *1 trait de curaçao orange.*

Remuer et ajouter au final 1 trait de rhum ambré, agricole de préférence. Il est possible de décorer avec un morceau d'ananas.

Ce grand classique des Antilles, assez doux et désaltérant, connaît de multiples variantes, notamment en remplaçant curaçao et marasquin par de l'Angostura, ce qui lui donne un caractère plus sec.

Majorque

Short drink • Apéritif

Dans un verre à mélange, verser sur des glaçons :
- *3/10 de rhum blanc*
- *3/10 de vermouth dry*
- *2/10 de Drambuie*
- *2/10 de crème de banane.*

Remuer énergiquement à la cuillère et passer dans des verres à cocktail.

✿ Cuba libre

Dans un grand verre à demi rempli de glaçons, verser :
- *3/10 de rhum blanc*
- *7/10 de Coca-Cola*
- *le jus d'un demi-citron vert.*

Bien remuer et ajouter une rondelle de citron.

Créé en 1902 pour fêter l'indépendance de Cuba par rapport aux États-Unis, ce cocktail unit pourtant le rhum cubain au Coca américain...

Dent de requin

Short drink • Apéritif

Dans un shaker à demi rempli de glaçons, verser :
- *5/10 de rhum ambré*
- *2/10 de vermouth dry*
- *2/10 de jus de fruit de la passion*
- *1/10 de jus de citron*
- *1 trait d'Angostura.*

Frapper et passer dans des verres à cocktail.

Les plus célèbres rhums industriels sont bien sûr ceux de Bacardi, la première marque de spiritueux dans le monde, née à Cuba et aujourd'hui implantée à Porto Rico. Leur faible aromatisation en fait les supports idéaux de toutes sortes de cocktails, qui constituent d'ailleurs leur principal mode de consommation.

007

Short drink • À tout moment

Dans un shaker à demi rempli de glaçons, verser :
- *4/10 de rhum blanc*
- *2/10 de vermouth rouge*
- *2/10 de jus de citron*
- *1/10 de jus d'orange*
- *1/10 de sirop de sucre de canne*

Frapper et passer dans des verres à cocktail rafraîchis. Décorer d'une ou plusieurs tranches d'orange.

Mai tai

Long drink • À tout moment

Dans un verre old fashioned, verser sur quelques glaçons :
- *2/10 de rhum blanc léger (Bacardi)*
- *2/10 de rhum brun*
- *2/10 de curaçao bleu*
- *2/10 de jus de citron vert*
- *1/10 de sirop d'orgeat*
- *1/10 de sirop de sucre de canne.*

Bien mélanger à la cuillère et ajouter au final un zeste de citron vert.

✿ Grey cat

Dans un shaker à demi rempli de glaçons, verser :
- *6/10 de rhum blanc*
- *2/10 de liqueur de café*
- *2/10 de liqueur de menthe*

Bien frapper et passer dans des verres à cocktail rafraîchis. Se décore également de copeaux de chocolat.

Un short drink digestif et plutôt grisant, comme son nom le laisse soupçonner...

✿ Cavalieri

Dans un shaker à demi rempli de glaçons, verser :
- *1/10 de rhum blanc*
- *1/10 de Grand Marnier*
- *2/10 de vermouth dry*
- *6/10 de coulis de fraise (ou, à défaut, de sirop de fraise).*

Frapper et passer dans de grands verres tumbler. Compléter avec du ginger ale ou de l'indian tonic.

Ce long drink doux et désaltérant est en outre relativement léger en alcool et peut donc s'apprécier à tout moment.

De gauche à droite :
Green island
Planteur
Azzuro
Blue sea
Cuba libre
Grey cat
Cavalieri

Antigua

(pour 30 personnes)

Dans une grande coupe à punch contenant plusieurs dizaines de glaçons, verser :

- *1 bouteille de rhum ambré*
- *50 cl de thé noir corsé et refroidi*
- *4 litres de jus de pamplemousse*
- *50 cl de jus de citron*
- *10 cuillerées à soupe de sucre en poudre.*

Remuer et servir avec des glaçons dans des verres à punch.

Pêcheur

(pour 12 personnes)

Dans une grande coupe à punch, verser :

- *le jus de cinq citrons*
- *1/2 bouteille de cognac*
- *1/4 de bouteille de rhum blanc*
- *1/4 de bouteille de liqueur de pêche.*

Ajouter du sirop de sucre de canne, puis deux bouteilles de soda et des glaçons.

De gauche à droite :
Golden rum
Indiana

LES PUNCHS, SO BRITISH

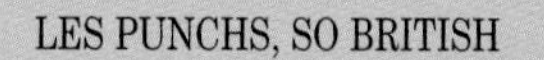

Les Britanniques ont popularisé ces cocktails conviviaux, indispensables dans les réceptions et les fêtes. Plus que par l'ingrédient de base (souvent du rhum, mais aussi parfois du vin), ils se caractérisent surtout par leur préparation en grande quantité, et par leur service dans une vaste coupe.

(pour 20 personnes)

Dans une coupe à punch, verser :
- *1 litre de rhum blanc*
- *1 demi-bouteille de vin blanc sec*
- *50 cl de jus d'orange*
- *25 cl de jus de citron*
- *300 g d'ananas en morceaux*
- *2 gousses de vanille.*

Aromatiser le mélange à son goût avec de la cannelle et de la muscade râpée, puis laisser rafraîchir au moins 4 heures. Servir dans des coupes décorées de tranches d'orange et de citron.

✿ Indiana

(pour 10 personnes)

Râper les zestes de trois citrons non traités et les faire cuire pendant 20 minutes à l'eau. Ajouter 50 cl de thé noir bouillant. Filtrer et laisser refroidir. Passer le mélange dans une coupe à punch et verser :
- *20 cl de rhum blanc*
- *25 cl de jus d'ananas*
- *50 cl de jus d'orange*
- *le jus des trois citrons.*

Mélanger et conserver au frais. Servir dans des verres contenant des glaçons.

✿ Golden rum

(pour 30 personnes)

Dans une grande coupe à punch contenant plusieurs dizaines de glaçons, verser :
- *1 bouteille de rhum ambré*
- *20 cl de liqueur d'abricot*
- *50 cl de jus de pamplemousse*
- *25 cl de jus d'ananas*
- *25 cl de jus de citron.*

Bien mélanger et laisser au frais. Au moment de servir, ajouter de l'eau gazeuse (de 50 cl à 1 litre) et des morceaux de fruits frais (ananas et orange). Présenter dans des verres tumbler, avec des pailles.

Whisky

Single malt ou de grain, d'Écosse ou des États-Unis, sec ou mélangé à d'autres ingrédients, le whisky apportera en toute occasion une note aromatique inimitable.

Une eau d'une pureté remarquable, un combustible, la tourbe, aux arômes très particuliers et un savoir-faire de plusieurs siècles expliquent sans doute pourquoi l'Écosse est bien la mère patrie du whisky. Et si d'autres pays, depuis longtemps déjà, élaborent eux aussi des eaux-de-vie de céréale vieillies longuement en fûts, c'est encore et toujours dans les Highlands qu'on trouve les meilleurs whiskies.
Il y a en réalité deux grandes familles de whiskies écossais. Les single malts, élaborés uniquement à base d'orge maltée et distillés dans un alambic à repasse, constituent la première. Chaque distillerie possède son style propre et certaines, installées en bord de mer, communiquent à leurs malts des arômes iodés. Pour le vieillissement, les Écossais préfèrent utiliser des fûts âgés, ayant contenu auparavant du vin, voire du xérès espagnol. Les whiskies de grain, distillés en grande quantité à partir de céréales non maltées, sont à l'origine de la seconde famille. Ils n'ont guère de personnalité et ne sont jamais consommés purs. En revanche, ils entrent dans la composition des blends, les whiskies les plus répandus, qui sont obtenus en les combinant avec des malts de différentes provenances. À l'instar des assemblages réalisés en Champagne, les blends sont souvent élaborés à partir de plusieurs dizaines d'eaux-de-vie différentes afin d'obtenir un style spécifique, propre à la marque et qui en assurera le renom. Vieillis au minimum trois ans, les blends peuvent être plus âgés. Mieux que les single malts, aux arômes trop forts ou trop subtils, ils conviennent parfaitement à la composition des cocktails à base de whisky. Il faut toutefois choisir entre des variétés légères, non en alcool mais en couleur et en arômes, et d'autres plus foncées, au goût plus prononcé.
Si l'Irlande aime bien affirmer, sans toutefois en apporter la preuve, qu'elle a inventé le whisky, ou plutôt le whiskey, son originalité porte avant tout sur des méthodes spécifiques, comme la triple distillation. Pratiquement inconnue en Écosse, cette dernière peut s'effectuer en alambic à repasse ou à colonnes. Le vieillissement des whiskeys irlandais, plus long (cinq ans, voire sept), se poursuit une fois l'assemblage terminé. De ce fait, ils se distinguent par une finesse et une rondeur bien éloignées de la force parfois brutale de leurs cousins écossais.

Alicante

Short drink • Digestif

Dans un shaker à demi rempli de glaçons, verser :
- *8/10 de scotch whisky*
- *2/10 de jus de citron*
- *1 trait de grenadine*
- *1 trait d'Angostura.*

Frapper et passer dans de petits verres tumbler. Décorer d'une tranche de citron.

Cobbler

Dans un grand verre ballon, verser sur quelques glaçons :
- *8/10 de scotch whisky*
- *2/10 de Cointreau*
- *1 cuillerée à café de sucre en poudre.*

Mélanger à la cuillère. Ajouter des morceaux de fruits frais au moment de servir .

Un long drink rafraîchissant à préparer un peu à l'avance pour que les fruits aient le temps de macérer un peu. Servir avec paille et cuillère.

General grant

Short drink • À tout moment

Dans un shaker à demi rempli de glaçons, verser :
- *6/10 de bourbon*
- *2/10 de porto rouge*
- *2/10 de jus d'ananas*
- *1 trait de citron pressé.*

Bien frapper et passer dans des verres à cocktail.

MADE IN USA

Émigrants écossais et irlandais ont emporté aux États-Unis leur goût pour le whisky, mais, rapidement, des styles proprement américains se sont développés. Ainsi, le bourbon est élaboré avec au moins 51% de maïs parmi les céréales utilisées lors de la distillation; pour le rye, cette proportion de 51% concerne le seigle. Quant au whiskey du Tennessee, il est filtré sur charbon de bois. Par ailleurs, bien des bourbons sont vieillis dans des fûts neufs préalablement brûlés à la flamme, ce qui leur donne des arômes plus marqués.

✿ Manhattan

Dans un verre à mélange, verser sur quelques glaçons :
- *7/10 de rye (ou, à défaut, de bourbon)*
- *3/10 de vermouth rouge*
- *1 trait d'Angostura.*

Bien mélanger à la cuillère. Passer dans des verres à cocktail. Enfin, ajouter une cerise à l'eau-de-vie.

Toute la différence avec le rob roy tient au choix du rye, plus aromatique. L'emploi du bourbon, à base de maïs et plus boisé, apporte d'autres notes...

✿ Mint julep

Dans un verre tumbler, écraser quelques feuilles de menthe fraîche avec 1 cuillerée à café de sucre en poudre. Ajouter 2 cl de bourbon.

Mélanger et remplir de glace pilée. Remuer pour refroidir le tout et verser 4 cl de bourbon. Peut aussi se décorer de feuilles de menthe fraîche et se servir avec une paille.

Bourbon et menthe, c'est tout le Deep South dans un verre...

✿ Pan american

Dans un grand verre tumbler, verser sur quelques glaçons :
- *le jus d'un demi-citron*
- *4 cl de bourbon*
- *1 cuillerée à café de sirop de sucre de canne.*

Bien mélanger à la cuillère et compléter d'eau gazeuse.

Selon qu'on préfère un cocktail plus ou moins sec, diminuer ou augmenter la quantité d'eau gazeuse.

Fil de fer

Short drink • À tout moment

Dans un verre à mélange, verser sur quelques glaçons :
- *6/10 de scotch whisky*
- *2/10 de crème de cassis*
- *1/10 de jus de citron*
- *1/10 de grenadine.*

Bien mélanger à la cuillère et passer dans des verres à cocktail. Décorer d'une demi-tranche de citron.

✿ Up-to-date

Dans un verre à mélange, verser sur quelques glaçons :
- *4/10 de rye (ou de bourbon)*
- *4/10 de vermouth blanc sec*
- *2/10 de Grand Marnier*
- *1 trait d'Angostura.*

Mélanger à la cuillère et passer dans des verres à cocktail rafraîchis. Avant de servir, presser quelques gouttes de citron dans les verres.

À la fois doux et sec, ce short drink se boit aussi bien en apéritif qu'en digestif.

✿ God father

Dans un verre old fashioned, verser sur quelques glaçons :
- *7/10 de scotch whisky*
- *3/10 d'Amaretto di Saronno.*

Bien remuer.

Un short drink plutôt doux, excellent à l'apéritif comme en digestif.

✿ Rusty nail

Dans un verre à mélange, verser sur quelques glaçons :
- *5/10 de scotch whisky*
- *5/10 de liqueur de whisky.*

Mélanger et passer dans des verres à cocktail.

Ce short drink, qui révèle tous les arômes de l'Écosse, se caractérise par une grande douceur... dont il faut pourtant se méfier.

Affinity

Short drink • Apéritif

Dans un verre à mélange, verser sur quelques glaçons :
- *4/10 de scotch whisky*
- *3/10 de porto rouge*
- *3/10 de xérès sec*
- *1 trait d'Angostura.*

Bien mélanger à la cuillère et passer dans des verres old fashioned. Ajouter éventuellement un ou deux glaçons.

De gauche à droite :
Cobbler
Manhattan
Mint julep
Pan american
Up-to-date
God father
Rusty nail

Man-hattan

Short drink • Apéritif

Dans un shaker à demi rempli de glaçons, verser :
- *6/10 de bourbon*
- *2/10 de vermouth blanc sec*
- *2/10 de vermouth rouge*
- *1 trait d'Angostura.*

Frapper énergiquement, puis verser dans des verres à cocktail. Ajouter un zeste de citron au dernier moment.

✿ Black watch

Dans un verre old fashioned, verser sur quelques glaçons :
- *7/10 de scotch whisky*
- *3/10 de liqueur de café.*

Mélanger à la cuillère, puis ajouter un peu d'eau gazeuse et un zeste de citron.

Un digestif à conseiller bien sûr après le café et qui permet de rester plutôt léger.

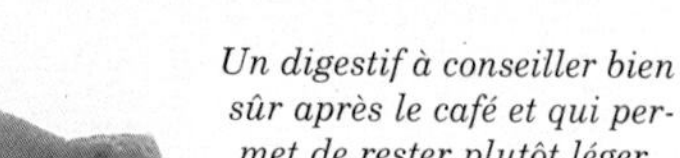

✿ Cabanis

Dans un shaker à demi rempli de glaçons, verser :
- *6/10 de scotch whisky*
- *3/10 de Marie Brizard*
- *1/10 de grenadine.*

Frapper et passer dans de petits verres tumbler. Décorer éventuellement d'une demi-rondelle de citron.

Un short drink très aromatique, doux en goût... mais tout de même assez puissant.

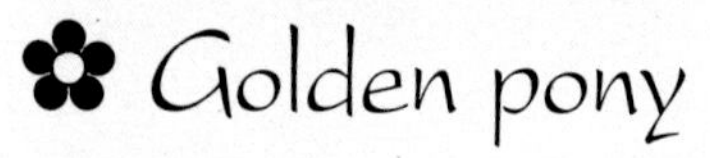

✿ Golden pony

Dans un shaker à demi rempli de glaçons, verser :
- *4/10 de scotch whisky*
- *3/10 de liqueur d'abricot*
- *3/10 de jus d'orange.*

Frapper et passer dans de grands verres tumbler. À compléter éventuellement d'un peu d'eau gazeuse.

Ce long drink assez puissant est original dans ses mariages d'arômes. À découvrir.

De gauche à droite :
Golden pony
Cabanis
Black watch
Rob roy
Barbican
Mamie taylor

✿ Rob roy

Dans un verre à mélange, verser sur quelques glaçons :
- *7/10 de scotch whisky*
- *3/10 de vermouth rouge*
- *1 trait d'Angostura.*

Mélanger longuement à la cuillère et passer dans des verres à cocktail. Ajouter une cerise à l'eau-de-vie.

Ce short drink sec et assez fort se sert de préférence à l'apéritif.

✿ Barbican

Dans un shaker à demi rempli de glaçons, verser :
- *6/10 de scotch whisky*
- *3/10 de jus de fruit de la passion*
- *1/10 de liqueur de whisky.*

Bien frapper et passer dans des verres à cocktail.

Un digestif assez doux et aromatique.

Bellerive

Short drink • Apéritif

Dans un verre à mélange, verser sur quelques glaçons :
- *3/10 de scotch whisky*
- *3/10 de vermouth rouge*
- *3/10 de vermouth blanc sec*
- *1/10 de Cointreau.*

Bien mélanger à la cuillère et passer dans des verres à cocktail rafraîchis.

✿ Mamie taylor

Dans un grand verre tumbler, verser sur quelques glaçons :
- *4 cl de scotch whisky*
- *le jus d'un citron vert.*

Bien remuer à la cuillère et allonger de ginger ale ou, à défaut, d'eau gazeuse.

Ce long drink très désaltérant est idéal durant les fortes chaleurs.

American russia

Short drink • Apéritif

Dans un shaker à demi rempli de glaçons, verser :
- *4/10 de bourbon*
- *4/10 de vodka*
- *1/10 de jus de citron*
- *1/10 de sirop de sucre de canne*
- *1 trait d'Angostura.*

Frapper et passer dans des verres à cocktail. Servir sans oublier le zeste de citron.

BOURBON OU SCOTCH

Puissants et fortement aromatiques, les bourbons et whiskeys américains se distinguent aisément des whiskies écossais. Pour s'en rendre compte, il suffit d'essayer les uns puis les autres dans la préparation d'un même cocktail : les différences sont évidentes.

Angelic

Short drink • À tout moment

Dans un shaker à demi rempli de glaçons, verser :
- *5/10 de whisky canadien*
- *2/10 de liqueur de cacao*
- *2/10 de crème fraîche liquide*
- *1/10 de grenadine.*

Frapper et servir dans des verres à cocktail rafraîchis.

Whisky eggnog

Long drink • À tout moment

Dans un shaker à demi rempli de glaçons, verser :
- *7/10 de whisky*
- *3/10 de lait*
- *1 œuf entier*
- *1 cuillerée à café de sucre en poudre.*

Bien frapper et passer dans de grands verres tumbler. Compléter éventuellement avec un peu de lait.

✿ Bourbon sour

Dans un shaker à demi rempli de glaçons, verser :
- *7/10 de bourbon*
- *3/10 de jus de citron*
- *1 cuillerée à café de sucre en poudre.*

Bien frapper et passer dans des verres à cocktail. Se décore éventuellement d'une cerise à l'eau-de-vie.

Sec et acide à la fois, ce short drink s'apprécie surtout à l'apéritif. Selon les goûts, on peut diminuer la quantité de sucre pour faire ressortir l'acidité du citron.

Carlton

Short drink • Apéritif

Dans un shaker à demi rempli de glaçons, verser :
- *5/10 de scotch whisky*
- *2/10 de Cointreau*
- *3/10 de jus d'orange.*

Bien frapper et passer dans des verres à cocktail. Terminer en pressant quelques gouttes de citron et en décorant d'une cerise confite.

✿ Ruby

Dans un verre à mélange, verser sur quelques glaçons :
- *3/10 de bourbon*
- *3/10 de cherry brandy*
- *4/10 de vermouth blanc sec*
- *2 traits d'Angostura.*

Remuer à la cuillère. Passer dans des verres à cocktail. Ajouter, au moment de servir, une cerise à l'eau-de-vie.

Plutôt sec et assez fort, ce short drink s'apprécie mieux en fin de repas.

Irish free

Short drink • À tout moment

Dans un shaker à demi rempli de glaçons, verser :
- *2/10 de whiskey irlandais*
- *2/10 de gin*
- *2/10 de Cointreau*
- *2/10 de crème de cacao incolore*
- *2/10 de jus de citron.*

Frapper et passer dans des verres à cocktail rafraîchis.

✿ Benedict'in

Dans un grand verre tumbler, verser sur quelques glaçons :
- *5/10 de scotch whisky*
- *5/10 de Bénédictine.*

Remuer à la cuillère et compléter avec du ginger ale ou, à défaut, de l'indian tonic. Décorer avec du citron.

La rencontre entre l'eau-de-vie écossaise et la liqueur française donne un long drink d'une belle complexité aromatique.

Gilbertus

Short drink • Digestif

Dans un shaker à demi rempli de glaçons, verser :
- *4/10 de whiskey irlandais*
- *3/10 de liqueur Passoã (maracuja)*
- *3/10 de jus de fruit de la passion*
- *1 trait de sirop de fraise.*

Frapper et passer dans des verres à cocktail rafraîchis.

✿Miami beach

Dans un shaker à demi rempli de glaçons, verser :
- *4/10 de scotch whisky*
- *3/10 de vermouth blanc sec*
- *3/10 de jus de pamplemousse.*

Frapper et passer dans des verres tumbler. Peut aussi se décorer d'une demi-tranche de pamplemousse.

Pour rendre ce long drink plus américain, on peut bien sûr préférer un bourbon.

Érable

Short drink • À tout moment

Dans un shaker à demi rempli de glaçons, verser :
- *7/10 de whisky canadien*
- *2/10 de sirop d'érable*
- *1/10 de jus de citron.*

Frapper énergiquement puis passer dans des verres à cocktail rafraîchis.

Mary blizzard

Short drink • Apéritif

Dans un shaker à demi rempli de glaçons, verser :
- *5/10 de scotch whisky*
- *5/10 de Marie Brizard.*

Frapper et servir dans des verres à cocktail, avec une demi-tranche de citron.

Canadian club

Short drink • À tout moment

Dans un shaker à demi rempli de glaçons, verser :
- *6/10 de whisky canadien*
- *2/10 de Grand Marnier*
- *2/10 de Cointreau*
- *1 trait d'Angostura.*

Bien frapper et passer dans des verres à cocktail. Servir en décorant les verres d'une demi-tranche d'orange.

✿ Old fashioned

Dans un verre, écraser avec un peu d'eau gazeuse un demi-morceau de sucre imbibé d'un trair d'Angostura. Ajouter des glaçons et 4 cl de bourbon.

Remuer, ajouter une demi-tranche d'orange, une cerise à l'eau-de-vie et un zeste de citron.

Sec et bien glacé, un excellent short drink où le whisky de base peut être aussi bien écossais, américain ou canadien

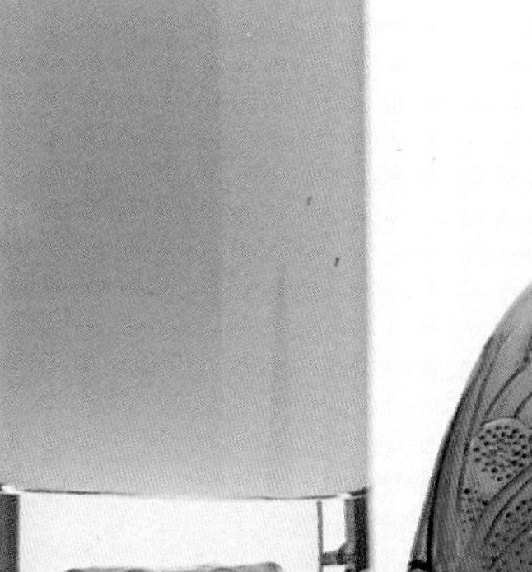

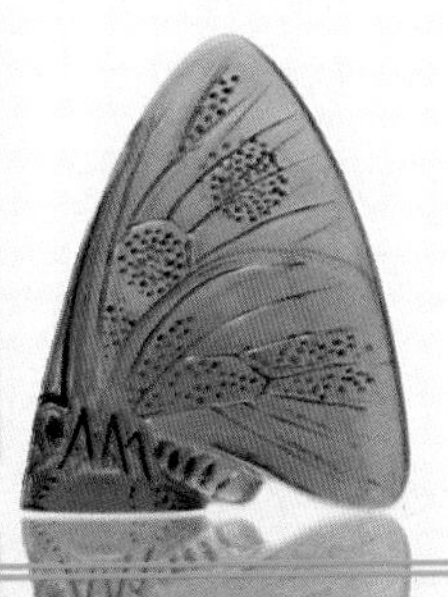

De gauche à droite :
Bourbon sour
Benedict'in
Ruby
Old fashioned
Miami beach

EN LIQUEURS AUSSI

Selon des procédés encore traditionnels, le whisky sert également à élaborer des liqueurs ou des crèmes, aromatisées avec des plantes et sucrées. D'origine irlandaise ou écossaise, elles peuvent apporter des variantes très intéressantes dans certaines recettes de cocktails.

Calvados

Resté profondément rural, pour la production du cidre comme pour la distillation et le vieillissement des eaux-de-vie, le calvados présente une large diversité de goûts et d'arômes.

Grâce au calvados, on peut retrouver dans son verre, et donc dans son cocktail, la quintessence des arômes spécifiques de la pomme. Distiller le jus fermenté de ce fruit est une pratique assez répandue et fort ancienne, et il existe des eaux-de-vie de pomme dans plusieurs pays, dont l'Allemagne, la Suisse, l'Autriche ou les États-Unis (sous le nom d'*applejack*). Pourtant, c'est en France, et plus précisément en Normandie, que cette eau-de-vie a su conquérir ses lettres de noblesse. Car si l'on élabore du cidre, jus fermenté de la pomme, ou du poiré, qui est lui à base de poire, dans de nombreuses régions de France, la Normandie, et tout particulièrement le pays d'Auge, en constitue le fief incontesté. Curieusement, le nom de calvados vient de celui d'un navire espagnol de l'Invincible Armada, *El Calvador*, qui s'échoua en 1588 sur les côtes normandes. À la Révolution, ce nom fut attribué à l'un des nouveaux départements, et c'est au siècle dernier que l'eau-de-vie de cidre fut appelée ainsi.

Amères, acides ou bien sucrées, les pommes à cidre – il en existe encore plus de 200 cents variétés – sont récoltées à maturité, puis mises en tas pendant un mois avant d'être soumises au broyage ou pressage. C'est une fermentation entièrement naturelle qui va transformer le jus en un cidre titrant de 4 à 5° au maximum. Après un temps de repos allant jusqu'à un an, le cidre est distillé dans un alambic charentais (obligatoire en pays d'Auge) ou dans un alambic à colonnes, puis il va vieillir quelques années en fûts de chêne ou de châtaignier. Dans certaines régions, le Domfrontais par exemple, on incorpore une certaine proportion de poiré, qui apporte plus de rondeur. Resté profondément rural, le calvados présente une large diversité de goûts et d'arômes.

Longtemps méprisé, il retrouve aujourd'hui sa vraie place, et les distillateurs proposent des qualités ayant suffisamment vieilli. Avec le cognac et l'armagnac, c'est d'ailleurs la seule eau-de-vie à bénéficier d'appellations réglementées, voire d'AOC.

✿ Po pomme

Dans un verre à mélange, sur quelques glaçon, sverser :
- *6/10 de calvados*
- *4/10 de cherry brandy*
- *2 traits d'Angostura.*

Bien mélanger à la cuillère, puis passer dans de grands verres tumbler. Compléter avec du cidre brut. Et selon les goûts, ajouter quelques morceaux de pomme et trois cerises à l'eau-de-vie.

Toute la quintessence de la Normandie et de ses fameuses pommes à cidre.

Calva-cognac

Long drink • À tout moment

Dans un shaker à demi rempli de glaçons, verser :
- *5/10 de calvados*
- *4/10 de cognac*
- *1/10 de sirop de framboise.*

Frapper et passer dans des flûtes à champagne. Allonger de champagne brut et mélanger avant de servir. Décorer, en saison, avec des framboises fraîches.

Whist

Short drink • Digestif

Dans un shaker à demi rempli de glaçons, verser :
- *4/10 de calvados*
- *3/10 de rhum blanc*
- *3/10 de vermouth rouge.*

Bien frapper et servir dans des verres à cocktail.

Apple highball

Long drink • Apéritif

Dans un grand verre tumbler rempli de glaçons, verser 4 cl de calvados.

Allonger de ginger ale ou, à défaut, d'eau gazeuse. Mélanger à la cuillère et décorer d'un zeste de citron.

Fleur de pommier

Short drink • Apéritif

Dans un shaker à demi rempli de glaçons, verser :
- *5/10 de calvados*
- *5/10 de vermouth rouge.*

Frapper et passer dans des verres à cocktail.

Hawaian beach

Short drink • Apéritif

Dans un shaker à demi rempli de glace pilée, verser :
- *6/10 de calvados*
- *4/10 de jus d'ananas*
- *1 trait de marasquin*
- *1 trait de jus de citron*
- *1 cuillerée à café de sucre en poudre.*

Bien frapper et passer dans des verres à cocktail. Décorer d'une rondelle de citron.

Calva cocktail

Dans un shaker à demi rempli de glaçons, verser :
- *4/10 de calvados*
- *4/10 de jus d'orange*
- *2/10 de Cointreau*
- *2 traits d'Angostura.*

Frapper et passer dans des verres tumbler contenant un peu de glace pilée. Décorer d'une tranche d'orange.

✿ Castle dip

Dans un shaker à demi rempli de glaçons, verser :
- *4/10 de calvados*
- *4/10 de crème de menthe incolore*
- *2/10 de Pernod.*

Bien frapper et passer dans des verres à cocktail. Décorer éventuellement avec une feuille de menthe.

Un short drink très original, parfaitement adapté à l'apéritif.

Lune de miel

Short drink • Apéritif

Dans un shaker à demi rempli de glaçons, verser :
- *5 /10 de calvados*
- *4/10 de Bénédictine*
- *1/10 de Cointreau*
- *le jus d'un demi-citron.*

Frapper et passer dans des verres à cocktail, en ajoutant un zeste de citron.

De gauche à droite :
Po pomme
Castle dip
Jack rose
Tonus
Normandy golden dawn
Princess pride

LES AMIS DU CALVADOS

Pour la réalisation de cocktails, il est inutile de choisir de vieux calvados très subtils, dont les caractéristiques disparaîtraient dans la composition finale. On obtiendra les meilleurs résultats avec une eau-de-vie bien franche au nez, sentant suffisamment la pomme.
La puissance et l'originalité aromatique du calvados doivent rendre prudent le créateur de cocktails. Parmi les combinaisons les plus réussies, il faut mentionner les associations avec des jus de fruits acides (citron ou pamplemousse), avec le cidre, bien entendu, et, ce qui est plus surprenant, avec le vermouth !
Pour la décoration, une tranche de pomme s'impose. Attention cependant, celle-ci a tendance à prendre très vite une coloration désagréable. On peut retarder cette évolution en l'arrosant d'un peu de jus de citron.

Jack rabbit

Short drink • Apéritif

Dans un shaker à demi rempli de glaçons, verser :
- *4 / 10 de calvados*
- *2 / 10 de sirop d'érable*
- *2 / 10 de jus de citron*
- *2 / 10 de jus d'orange.*

Bien frapper et passer dans des verres à cocktail.

✿ Jack rose

Dans un shaker à demi rempli de glaçons, verser :
- *4 cl de calvados*
- *le jus d'un demi-citron*
- *3 traits de grenadine.*

Frapper longuement et passer dans un verre à cocktail rafraîchi. Décorer avec une demi-rondelle de citron.

Le citron est un des meilleurs alliés du calvados, dont il exalte les arômes.

✿ Princess pride

Dans un shaker à demi rempli de glaçons, verser :
- *6 / 10 de calvados*
- *2 / 10 de vermouth rouge*
- *2 / 10 de quinquina (Dubonnet).*

Frapper et passer dans des verres à cocktail rafraîchis. Ajouter une cerise confite.

L'étonnant mariage du calvados et du vermouth, à découvrir... avec prudence, car le mélange est plutôt puissant.

✿ Tonus

Dans un grand verre tumbler, verser sur quelques glaçons :
- *5 / 10 de calvados*
- *3 / 10 de liqueur de framboise*
- *2 / 10 de sirop de menthe.*

Bien mélanger à la cuillère. Compléter avec du cidre doux, puis ajouter 1 trait de sirop de menthe. Décorer avec quelques feuilles de menthe fraîche.

À la fois frais et original, un long drink tonique très normand.

Normand flip

Short drink • Apéritif

Dans un shaker, verser :
- *6 / 10 de calvados*
- *4 / 10 de porto ruby*
- *1 jaune d'œuf*
- *1 cuillerée à café de sucre en poudre.*

Bien frapper, passer dans des verres à cocktail et saupoudrer de muscade râpée.

✿ Normandy golden dawn

Dans un shaker à demi rempli de glaçons, verser :
- *3 / 10 de calvados*
- *2 / 10 de gin*
- *3 / 10 de jus d'orange*
- *2 / 10 de liqueur d'abricot*
- *1 trait de grenadine.*

Frapper énergiquement et servir dans de petits verres tumbler. Peut se décorer avec une demi-tranche d'orange.

Un short drink puissant, à servir plutôt en fin de repas.

Parfum de cidre

Long drink • À tout moment

Dans un grand verre tumbler, verser :
- *7 / 10 de cidre*
- *3 / 10 de sirop de pomme verte.*

Dans le bol d'un mixer, verser par ailleurs :
- *3 / 10 de calvados*
- *7 / 10 de crème fraîche liquide*
- *1 jaune d'œuf*
- *1 pincée de cannelle.*

Mixer, verser cette préparation mousseuse sur le cidre, sans mélanger, et servir avec une paille et un agitateur.

Cognac

Le cognac, que les amateurs préféreront sans doute savourer nature en digestif, se prête pourtant aisément à de délicieux mélanges.

Dans la grande famille des eaux-de-vie élaborées à base de vin, le cognac est le seigneur incontesté, de par son ancienneté et le savoir-faire incomparable des distillateurs charentais.

C'est parce que les vins blancs de la région, peu alcoolisés et de médiocre constitution, voyageaient mal jusqu'aux Pays-Bas que s'est instauré dans les Charentes, il y a plusieurs siècles, l'usage de les « brûler », c'est-à-dire de les distiller afin d'en concentrer la quintessence dans une eau-de-vie. À l'arrivée, il suffisait d'ajouter de l'eau pour obtenir une boisson satisfaisante.

La méthode charentaise présente des caractéristiques qui font toute l'originalité du cognac. La distillation, d'abord, s'opère en deux temps, dans un alambic spécifique dit « à repasse ». Le vin est chauffé une première fois et devient alors le « brouillis », qui titre entre 26 et 33°. Celui-ci est distillé à son tour pour obtenir la « bonne chauffe », une eau-de-vie incolore titrant de 60 à 70° d'alcool. On élimine alors les éléments indésirables (les « têtes » et les « queues »). Le vieillissement, ensuite, s'effectue obligatoirement en fûts de chêne. Il va durer au minimum trois ans, mais peut atteindre plusieurs décennies. Durant cette période, de mystérieux échanges s'opèrent entre l'eau-de-vie, le bois et l'oxygène, et de nombreux facteurs influencent le résultat final : la température, l'humidité, la taille des fûts et même le volume des chais. Enfin, en assemblant différentes qualités et différents millésimes, les négociants charentais créent le style qui fait la force de chacune de leurs marques.

C'est la durée de vieillissement qui détermine la dénomination d'un cognac : VS (Trois Étoiles), VSOP, Napoléon, XO, Hors d'Âge. Pour la réalisation de cocktails, une eau-de-vie jeune et franche est suffisante. Elle ne donnera que plus de caractère à la préparation.

Au sud des Charentes, le Gers a su développer sa propre eau-de-vie, l'armagnac, qui se distingue du cognac par les cépages utilisés et par les techniques de distillation.

Il existe d'autres eaux-de-vie de vin désignées généralement sous le nom de brandies. Plus grossières et moins savoureuses que les cognacs et armagnacs, elles entrent aussi dans l'élaboration de cocktails.

Cognac, armagnac et autres brandies peuvent être utilisés dans les recettes de cocktails, car ils se marient fort bien avec le citron, les liqueurs à base d'orange et les crèmes.

✿ Alexander

Dans un shaker à demi rempli de glaçons, verser :
- *4/10 de cognac*
- *3/10 de crème fraîche liquide*
- *3/10 de crème de cacao brun.*

Bien frapper et passer dans des verres à cocktail. Décorer de chocolat en poudre.

Un excellent digestif, doux et aromatique.

✿ Fernet

Dans un verre à mélange, sur quelques glaçons, verser :
- *5/10 de cognac*
- *5/10 de Fernet-Branca*
- *1 trait d'Angostura*
- *2 traits de sirop de sucre de canne.*

Mélanger à la cuillère et passer dans des verres tumbler.

Sec et amer, un excellent short drink pour remédier aux excès de soirées trop arrosées.

LE PINEAU, UN COCKTAIL NATUREL

Élaboré à partir de jus de raisin frais et de cognac titrant 60°, le pineau est certainement le cocktail le plus traditionnel de la région cognaçaise. Blanc ou rosé, le pineau des Charentes fait l'objet d'une stricte réglementation : il ne peut être élaboré qu'avec les cépages de la région et le jus doit être pressuré dans les vingt-quatre heures qui suivent la vendange. Enfin, il doit connaître un vieillissement de dix-huit mois à trois ans en vieux fûts de chêne. A ce terme, comme dans un cocktail réussi, on ne distingue plus vraiment le goût des deux ingrédients de base, harmonieusement fondus. Titrant entre 16 et 22 °, le pineau se sert nature, bien rafraîchi et de préférence sans glaçons. Le grand nombre de petits producteurs de pineau entraîne des variations intéressantes d'une marque à l'autre.

Sa richesse aromatique et son taux élevé de sucre ne font pas du pineau des Charentes un ingrédient souvent utilisé dans les cocktails. Pourtant, servi allongé sur glaçons, avec des jus de fruits ou du tonic, il peut constituer un long drink aromatique et très rafraîchissant.

Vanderbilt

Short drink • À tout moment

Dans un verre à mélange, verser :
- *5/10 de cognac*
- *5/10 de cherry brandy*
- *2 traits de sirop de sucre de canne*
- *2 traits d'Angostura.*

Remuer à la cuillère. Passer dans des verres à cocktail. Décorer d'une cerise confite.

Three miller

Short drink • Apéritif

Dans un shaker à demi rempli de glaçons, verser :
- *5/10 de cognac*
- *3/10 de rhum blanc*
- *1/10 de grenadine*
- *1/10 de jus de citron.*

Frapper et passer dans des verres à cocktail.

Arago

Short drink • Digestif

Dans un shaker à demi rempli de glaçons, verser :
- *4/10 de cognac*
- *3/10 de crème de banane*
- *3/10 de crème fraîche liquide.*

Bien frapper et passer dans des verres à cocktail.

✿ Prince charles

Dans un shaker à demi rempli de glaçons, verser :
- *4/10 de cognac*
- *3/10 de Drambuie*
- *3/10 de jus de citron.*

Frapper et passer dans de petits verres tumbler. Décorer avec du citron.

Digestif avant tout, ce short drink est aussi un reconstituant en cours de journée.

De gauche à droite :
Alexander
Fernet
Prince charles
Kriss
Brandy sour
Stinger

Kriss

Dans un verre à mélange, verser sur quelques glaçons :
- *5/10 de cognac*
- *2/10 de vermouth blanc*
- *2/10 d'Amaretto di Saronno*
- *1/10 de jus de citron*
- *1 trait de sirop de sucre.*

Mélanger à la cuillère et passer dans de grands verres tumbler. Compléter avec de l'indian tonic. Décorer d'une demi-rondelle de citron.

Très désaltérant de prime abord, ce long drink est tout de même assez puissant...

Stinger

Dans un shaker à demi rempli de glaçons, verser :
- *7/10 de cognac*
- *3/10 de crème de menthe incolore.*

Bien frapper et passer dans des verres à cocktail.

Assez doux, il est recommandé en digestif. En utilisant de la menthe verte (peppermint), on obtient un émeraude.

Alizé

Short drink • Digestif

Dans un shaker à demi rempli de glaçons, verser :
- *5/10 de cognac*
- *2/10 de liqueur de mandarine*
- *2/10 de jus de fruit de la passion*
- *1/10 de jus de citron.*

Frapper longuement et passer dans des verres à cocktail rafraîchis.

Menthe frappée

Long drink • Apéritif

Dans un verre à mélange, verser sur quelques glaçons :
- *5/10 de cognac*
- *5/10 de crème de menthe verte.*

Mélanger à la cuillère et passer dans des verres tumbler contenant de la glace pilée. Ajouter quelques feuilles de menthe fraîche coupées puis décorer de feuilles de menthe.

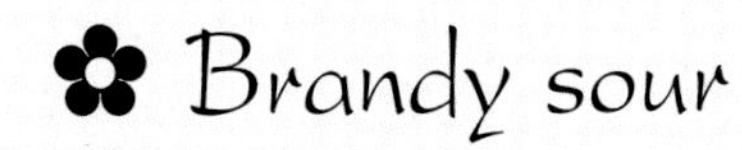

Brandy sour

Dans un shaker à demi rempli de glaçons, verser :
- *7/10 de cognac*
- *3/10 de jus de citron*
- *1 trait de sirop de sucre.*

Frapper et passer dans de petits verres tumbler. Décorer d'une rondelle de citron.

À servir de préférence avant de passer à table, car le mariage du cognac et du citron constitue un excellent apéritif.

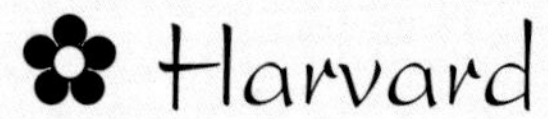

Dans un verre à mélange, verser sur quelques glaçons :

- *5/10 de cognac*
- *5/10 de vermouth rouge*
- *1 trait d'Angostura.*

Mélanger à la cuillère et passer dans des verres à cocktail rafraîchis. Peut être décoré d'une cerise confite.

Une combinaison plus que détonante, à consommer comme digestif.

Hercule

Long drink • À tout moment

Dans un grand verre tumbler, verser sur quelques glaçons :

- *2/10 de cognac*
- *2/10 d'Amaretto di Saronno*
- *1/10 de grenadine*
- *5/10 de jus d'orange.*

Bien remuer et décorer d'une tranche d'orange.

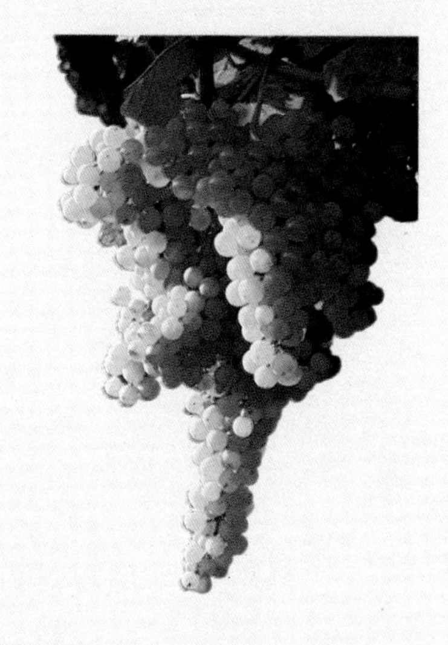

Alexander's sister

Short drink • Digestif

Dans un shaker à demi rempli de glaçons, verser :

- *4/10 de cognac*
- *3/10 de liqueur de café*
- *3/10 de crème fraîche liquide.*

Frapper et passer dans des verres à cocktail. Saupoudrer d'un peu de muscade râpée.

Long drink • Apéritif

Dans un shaker à demi rempli de glaçons, verser :

- *4/10 de cognac*
- *3/10 de Cointreau*
- *3/10 de jus de citron*
- *2 traits d'Angostura*
- *2 traits de pastis*
- *1 cuillerée à café de sucre en poudre.*

Bien frapper et passer dans de grands verres tumbler. Compléter avec de l'eau gazeuse et décorer d'une demi-rondelle de citron.

Dans un shaker à demi rempli de glaçons, verser :

- *3/10 de cognac*
- *2/10 de liqueur de banane*
- *3/10 de jus d'ananas*
- *2/10 de jus d'orange.*

Frapper et passer dans de grands verres tumbler. Peut également se décorer d'une demi-tranche d'orange.

Le mélange assez inattendu du cognac et de la banane est tout à fait réussi, d'autant qu'il devient ici désaltérant grâce aux jus de fruits.

LES BRANDIES, FAUTE DE MIEUX...

La France n'est pas le seul producteur d'eaux-de-vie de vin : il en existe beaucoup de par le monde. On les désigne le plus souvent par le terme de brandies, mais il est fréquent que d'autres eaux-de-vie (à base de céréales notamment) portent également ce nom. À noter qu'en Grande-Bretagne, ce mot est synonyme de cognac. Les brandies sont généralement plus grossiers et moins savoureux que les cognacs et armagnacs, car ils souffrent d'une distillation approximative, et manquent de vieillissement. Les brandies peuvent toutefois entrer dans des recettes de cocktails, car leur puissance y est appréciée, alors que leurs imperfections disparaissent derrière les autres ingrédients.

Calimero

Short drink • À tout moment

Dans un shaker à demi rempli de glaçons, verser :
- *3/10 de cognac*
- *1/10 de Grand Marnier*
- *1/10 de liqueur de café*
- *3/10 de jus d'orange*
- *2/10 de jus de citron*
- *1 demi-blanc d'œuf.*

Frapper assez énergiquement et passer dans de petits verres tumbler. Agrémenter le tout d'une rondelle d'orange.

✿ Side car

Dans un shaker à demi rempli de glaçons, verser :
- *6/10 de cognac*
- *3/10 de Cointreau*
- *1/10 de jus de citron.*

Frapper et passer dans des verres à cocktail rafraîchis.

Ce classique des short drinks, plutôt sec, a été créé au Harry's Bar, à Paris, en 1933.

American beauty

Short drink • À tout moment

Dans un shaker à demi rempli de glaçons, verser :
- *2/10 de cognac*
- *2/10 de vermouth blanc sec*
- *2/10 de jus d'orange*
- *2/10 de grenadine*
- *2/10 de crème de menthe incolore.*

Frapper et passer dans des verres ballon. Napper délicatement d'un soupçon de porto rouge, de manière qu'il reste au-dessus du verre.

✿ American rose

Dans un shaker à demi rempli de glaçons, verser :
- *14 cl de cognac*
- *1 trait de Pernod*
- *1 trait de grenadine*
- *1 demi-pêche bien mûre.*

Bien frapper. Passer dans des flûtes à champagne contenant de la glace pilée. Compléter avec du champagne et décorer d'une cerise confite.

Très désaltérant, ce long drink développe des arômes plutôt complexes.

✿ Horse's neck

Dans un grand verre tumbler, sur un zeste de citron coupé en longue spirale et sur quelques glaçons, verser :
- *6 cl de cognac*
- *1 trait d'Angostura.*

Compléter avec du ginger ale (Canada Dry). Se consomme très souvent avec une paille.

À la fois sec et très frais, un long drink idéal pour les fortes chaleurs.

✿ Brandy eggnog

Dans un shaker à demi rempli de glaçons, verser :
- *4/10 de cognac*
- *6/10 de lait frais*
- *1 cuillerée de sucre en poudre*
- *1 jaune d'œuf.*

Bien frapper et passer dans des verres tumbler. Saupoudrer de muscade râpée.

Reconstituant, ce long drink peut aussi se servir chaud. Froid, il est désaltérant.

De gauche à droite :
Harvard
Summer fun
Side car
American rose
Horse's neck
Brandy eggnog

Vermouth

Le vermouth, né en Italie, est devenu l'ingrédient favori des barmen, car il s'associe parfaitement avec les eaux-de-vie, auxquelles il apporte sa large palette aromatique.

Dès l'Antiquité gréco-latine, on a eu l'idée d'aromatiser le vin avec des herbes et des épices afin d'en rehausser le goût. Et il existe toujours des recettes familiales, celle du vin de pêche par exemple, qui permettent d'obtenir assez facilement des apéritifs très originaux à base de vin.

Si le mot « vermouth » est d'origine allemande – *Vermut* signifie « absinthe » –, c'est pourtant en Italie que les techniques de fabrication vont se développer à partir du XVIIe siècle pour donner naissance à des vins aromatisés qui méritent le nom de vermouths. Ces techniques ne tarderont pas à franchir les Alpes, puisqu'il existe une ancienne tradition de production dans les environs de Chambéry et même dans l'Hérault.

La région de Turin reste pourtant le fief incontesté des vermouths, notamment grâce à la réussite internationale de la maison Martini & Rossi.

Hormis les obligations d'utiliser uniquement des vins blancs et de ne pas dépasser 18° d'alcool, la législation, en fait, n'impose guère d'autres contraintes aux producteurs, qui sont libres d'ajouter toutes sortes d'ingrédients dans leurs préparations.

Ils s'inspirent le plus souvent de recettes assez anciennes, élaborées par des liquoristes inventifs. Le tout est d'obtenir une boisson apéritive stable et constante, et surtout spécifique à la marque. Les fabricants gardent secrets leurs méthodes et leurs ingrédients.

Il existe différentes variétés de vermouths : le rouge (*rosso*), assez riche en sucres dont la couleur provient non de l'emploi de vin rouge, mais de l'adjonction de caramel ; le blanc (*bianco*), équivalent du précédent en blanc et tout aussi moelleux ; le dry (sec) qui contient nettement moins de sucre ; le bitter, beaucoup plus amer, qui permet de réaliser l'americano. On trouve dans la région de Turin d'autres variétés, à la vanille ou au quinquina.

Le vermouth, au départ un apéritif local, doit beaucoup de son expansion internationale aux barmen, qui en ont fait un de leurs ingrédients favoris. Rouge ou blanc, et surtout dry, il a en effet très tôt montré d'excellentes aptitudes à la réalisation de cocktails variés.

Les cocktails les plus anciens et les plus renommés, comme le martini dry ou le manhattan, lui doivent beaucoup.

✿ Byrrh cocktail

Dans un shaker à demi rempli de glaçons, verser :
- *4/10 de Byrrh*
- *3/10 de vermouth dry*
- *3/10 de bourbon (ou de scotch whisky).*

Frapper et passer dans des verres à cocktail rafraîchis.

Un short drink apéritif qui met en valeur les caractères particuliers du Byrrh.

✿ Tampico

Dans un grand verre tumbler, verser sur quelques glaçons :
- *4/10 de Campari*
- *3/10 de Cointreau*
- *3/10 de jus de citron.*

Bien mélanger et compléter avec de l'indian tonic.

Un long drink très désaltérant à tout moment, car il marie agréablement le sucré, l'amer et l'acide.

Bohemian

Short drink • Apéritif

Dans un verre à mélange, verser sur quelques glaçons :
- *5/10 de Campari*
- *5/10 de jus d'ananas.*

Remuer à la cuillère et passer dans de petits verres tumbler contenant un peu de glace pilée. Décorer de plusieurs morceaux d'ananas. Servir avec une paille.

Prélude

Long drink • À tout moment

Dans un shaker à demi rempli de glaçons, verser :
- *4/10 de vermouth dry*
- *2/10 de liqueur de pêche*
- *1/10 de gin*
- *3/10 de jus de pêche*
- *1 demi-cuillerée à café de miel.*

Bien frapper et passer dans des verres tumbler. Décorer d'une tranche de pêche.

Quatre-quarts

Long drink • À tout moment

Dans un verre à mélange, verser sur quelques glaçons :
- *3/10 de vermouth blanc*
- *3/10 de liqueur de mandarine*
- *3/10 de gin*
- *1/10 de grenadine*
- *2 traits d'Angostura.*

Bien mélanger à la cuillère et passer dans des verres tumbler. Compléter avec du jus d'orange et décorer avec des zestes d'orange.

✿ Green room

Dans un shaker à demi rempli de glaçons, verser :
- *6/10 de vermouth dry*
- *3/10 de cognac*
- *1/10 de Cointreau.*

Bien frapper et passer dans de petits verres tumbler. Peut se décorer également d'une tranche d'orange.

Excellente combinaison de saveurs douces et amères, ce short drink se sert aussi bien à l'apéritif que comme digestif.

De gauche à droite :
Green room
Tampico
Byrrh cocktail
Campari orange
Bois rosé
Capri
Palace

✿ Palace

Dans un shaker à demi rempli de glaçons, verser :
- *5/10 de vermouth dry*
- *3/10 d'eau-de-vie de mirabelle*
- *2/10 de Campari.*

Frapper et passer dans des verres old fashioned. Servir avec quelques glaçons et décorer entre autres d'une rondelle d'orange.

Plutôt puissant tout en apportant un fruité original, ce long drink peut être allongé d'un peu d'eau gazeuse.

✿ Bois rosé

Dans un verre à mélange, verser sur quelques glaçons :
- *6/10 de vermouth dry*
- *2/10 de crème de cassis*
- *2/10 de Bénédictine.*

Mélanger énergiquement et passer dans des verres à cocktail. Peut se décorer d'une cerise à l'eau-de-vie.

Très suave et pourtant puissant, ce short drink s'apprécie de préférence en digestif.

VERMOUTHS À LA FRANÇAISE

Malgré leur domination écrasante, les vermouths italiens ne sont pas les seuls sur le marché, et il existe toujours des producteurs français.
La marque la plus connue est le Noilly-Prat, créé en 1843 par Joseph Noilly et Claudius Prat à partir de vins du Languedoc (picpoul et clairette). Leur particularité est un vieillissement à ciel ouvert plusieurs années, avant adjonction de composés aromatiques. Le Noilly-Prat dry est très apprécié des barmen et des cuisiniers (notamment pour le déglaçage des plats), car il est jugé plus aromatique que ses homologues italiens.

La région de Chambéry est également réputée pour ses vermouths (qu'on écrit parfois sans *h* final) depuis plus de cent cinquante ans. Ils y font l'objet d'une appellation contrôlée depuis 1932. Mais les vins peuvent provenir d'autres régions (le Gers surtout). Les méthodes d'élaboration sont semblables à celles qui sont utilisées de l'autre côté des Alpes, avec toutefois de nettes différences aromatiques, compte tenu de l'utilisation de plantes différentes. Dolin est la principale marque de la région de Chambéry, mais il existe aussi les maisons Comoz, Routin et Jacal.

✿ Campari orange

Dans un grand verre tumbler contenant des glaçons, verser :
- *4 cl de Campari*
- *du jus d'orange.*

Se décore aussi d'une tranche d'orange.

Simplissime et pourtant parfaitement désaltérant en toute occasion. Un grand classique.

✿ Capri

Dans un shaker à demi rempli de glaçons, verser :
- *4/10 de Campari*
- *3/10 de vermouth rouge*
- *3/10 de cognac.*

Bien frapper et passer dans de petits verres tumbler. Ajouter un zeste de citron.

L'apport du cognac donne du corps à cette version « francisée » de l'americano.

Ba-bu

Short drink • Digestif

Dans un verre à mélange, verser sur quelques glaçons :
- *3/10 de vermouth dry*
- *4/10 de liqueur de fraise des bois*
- *3/10 d'alcool de poire williams.*

Mélanger à la cuillère et passer dans des verres à dégustation. Décorer de fraises.

Stado

Short drink • Digestif

Dans un shaker à demi rempli de glaçons, verser :
- *4/10 de vermouth rouge*
- *3/10 de scotch whisky*
- *2/10 de cognac*
- *1/10 de Cointreau.*

Frapper et passer dans des verres à cocktail. Décorer d'un zeste d'orange.

✿ Ines

Dans un shaker à demi rempli de glaçons, verser :
- *3/10 de vermouth blanc*
- *3/10 de vermouth rosé*
- *3/10 de gin*
- *1/10 d'Amaretto di Saronno.*

Bien frapper. Passer ensuite dans des verres à cocktail. Ajouter une olive verte.

Short drink assez puissant, il s'apprécie avant tout à l'apéritif... olive oblige.

✿ Victoria

Dans un shaker à demi rempli de glaçons, verser :
- *4/10 de vermouth blanc*
- *4/10 de gin*
- *2/10 de Mandarine impériale*
- *1 trait de grenadine.*

Frapper et passer dans des verres à cocktail. Décorer d'une demi-tranche de mandarine ou d'orange

Sa jolie couleur et ses contrastes aromatiques en font un digestif très apprécié.

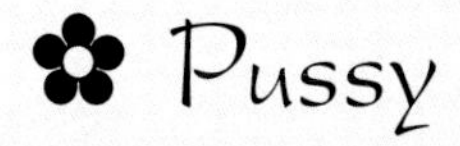

✿ Pussy

Dans un grand verre tumbler, verser sur quelques glaçons :
- *6/10 de Campari*
- *4/10 de liqueur de pêche.*

Allonger d'eau gazeuse ou de limonade et mélanger.

Un mariage inattendu, plutôt léger et surtout très désaltérant.

Dry americano

Long drink • Apéritif

Dans un verre à mélange, verser sur quelques glaçons :
- *5/10 de Campari*
- *5/10 de vermouth dry.*

Mélanger à la cuillère et passer dans des verres tumbler. Compléter avec de l'eau gazeuse et décorer d'une demi-rondelle de citron.

San-Campari

Short drink • Apéritif

Dans un shaker à demi rempli de glaçons, verser :
- *5/10 de St Raphaël rouge*
- *5/10 de Campari*
- *1 trait de curaçao rouge.*

Bien frapper et verser dans des verres à cocktail.

BYRRH : UN MONUMENT

Entre les deux guerres, le succès du Byrrh est tel (on produit 38 millions d'hectolitres par an) qu'il nécessite des installations de plus en plus grandes pour le vieillissement du vin. D'où la construction à Thuir d'une cuve en chêne d'un million d'hectolitres qui est encore la plus grande du monde.

Apricot

Short drink • Digestif

Dans un shaker à demi rempli de glaçons, verser :
- *2/10 de vermouth dry*
- *2/10 de vermouth rosé*
- *3/10 de liqueur d'abricot*
- *3/10 de gin*
- *1 trait de sirop d'abricot.*

Bien frapper et servir dans des verres à cocktail.

Bi-Byrrh

Short drink • Digestif

Dans un verre à mélange, verser sur des glaçons :
- *6/10 de Byrrh*
- *3/10 de cherry brandy*
- *1/10 de sirop de cerise.*

Remuer et servir dans des verres à cocktail. Décorer d'une cerise à l'eau-de-vie

De gauche à droite :
Pussy
Ines
Victoria
Addington
Amérissime

✿ Addington

Dans un verre à mélange, verser sur quelques glaçons :
- *5/10 de vermouth dry*
- *5/10 de vermouth rouge.*

Mélanger à la cuillère et passer dans des verres tumbler. Ajouter deux glaçons et compléter avec de l'eau gazeuse.

Un long drink rafraîchissant, fait pour l'apéritif et tous les moments chauds.

Admiral

Long drink • Apéritif

Dans un shaker à demi rempli de glaçons, verser :
- *7/10 de vermouth dry*
- *3/10 de bourbon.*

Bien frapper et passer dans des verres tumbler. Presser un demi-citron au-dessus de chaque verre. Ajouter un ou deux glaçons.

Montgolfière

Long drink • Apéritif

Dans un grand verre tumbler, verser sur quelques glaçons :
- *5/10 de vermouth dry*
- *5/10 de Suze*
- *le jus d'un citron.*

Mélanger et compléter avec de l'indian tonic. Décorer d'une rondelle de citron.

✿ Amérissime

Dans un shaker à demi rempli de glaçons, verser :
- *5/10 de vermouth dry*
- *5/10 d'amer Picon.*

Frapper et passer dans des verres à cocktail rafraîchis. Se décore également d'une demi-rondelle d'orange.

Un short drink à réserver plutôt aux amateurs d'amertume, qui trouveront là une composition très désaltérante.

✿ Americano

Dans un verre tumbler, verser sur quelques glaçons :
- *3/10 de vermouth rouge*
- *7/10 de Campari.*

Remuer et compléter avec du soda. Ajouter dans le verre une demi-tranche d'orange et une demi-tranche de citron.

Créé, paraît-il, en hommage à l'arrivée des Américains en Europe en 1917, ce long drink admet d'amples variations dans les proportions respectives de vermouth et de Campari, selon le degré d'amertume souhaité.

Sweet memories

Short drink • Apéritif

Dans un shaker à demi rempli de glaçons, verser :
- *4/10 de vermouth dry*
- *4/10 de rhum blanc agricole*
- *2/10 de curaçao bleu.*

Frapper et passer dans des verres à cocktail rafraîchis.

Tropical

Short drink • Apéritif

Dans un shaker à demi rempli de glaçons, verser :
- *5/10 de vermouth dry*
- *2/10 de marasquin*
- *2/10 de crème de cacao*
- *1/10 d'Angostura.*

Bien frapper et passer dans des verres à cocktail. Décorer avec des cerises confites.

Filippo

Long drink • À tout moment

Dans un grand verre tumbler, verser sur quelques glaçons :
- *4/10 de Campari*
- *3/10 de Cointreau*
- *3/10 de jus de pamplemousse*
- *1 trait de liqueur de pêche.*

Bien mélanger. Se décore d'une demi-tranche de pamplemousse.

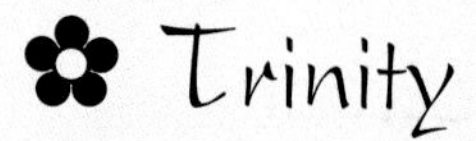

✿ Trinity

Dans un verre à mélange, verser sur quelques glaçons :
- *3/10 de vermouth dry*
- *3/10 de vermouth rouge*
- *4/10 de gin.*

Remuer et passer dans des verres à cocktail rafraîchis. Ajouter un zeste de citron.

Ce short drink relativement fort est un excellent apéritif.

✿ Rose

Dans un verre à mélange, verser sur quelques glaçons :
- *6/10 de vermouth dry*
- *2/10 de cherry brandy*
- *2/10 de kirsch.*

Mélanger et passer dans des verres à cocktail. Ajouter une cerise à l'eau-de-vie.

Créé à Paris dans les années 1920, ce short drink plutôt puissant se déguste de préférence avant le repas.

Tipperary

Short drink • Apéritif

Dans un shaker à demi rempli de glaçons, verser :
- *4/10 de vermouth dry*
- *3/10 de Chartreuse verte*
- *3/10 de whiskey irlandais.*

Frapper et servir dans des verres à cocktail rafraîchis.

De gauche à droite :
Americano
Trinity
Rose
Veuve joyeuse
Explosion
Pimm's n° 1 cup

✿ Veuve joyeuse

Dans un shaker à demi rempli de glaçons, verser :

- *4/10 de de vermouth dry*
- *4/10 de gin*
- *1/10 de Pernod*
- *1/10 de Bénédictine*
- *1 trait d'Angostura.*

Frapper et passer dans des verres à cocktail rafraîchis.

L'origine du nom est inconnu, mais il est certain qu'une telle recette provoque tout autre chose que la tristesse.

✿ Explosion

Dans un shaker à demi rempli de glaçons, verser :

- *3/10 de vermouth dry*
- *2/10 de Grand Marnier*
- *2/10 de Pernod*
- *3/10 de crème fraîche liquide*
- *1 trait de grenadine*
- *1 trait d'Angostura.*

Frapper énergiquement et passer dans de larges coupes à champagne. Peut être décoré d'une tranche d'orange.

Doux et aromatique, il se déguste de préférence en digestif.

✿ Pimm's n° 1 cup

Dans un verre tumbler, verser sur des glaçons 8 cl de Pimm's n° 1. Allonger d'eau gazeuse ou de limonade.

Décorer d'une demi-rondelle de concombre, d'une branche de menthe fraîche, d'une tranche d'orange et de citron, d'une cerise confite et servir avec une paille.

Ce grand classique de la culture britannique est aussi immuable dans sa composition que dans son décor. De plus, il est très désaltérant.

Red sunshine

Long drink • À tout moment

Dans un verre tumbler rempli de glace, verser :

- *7/10 de vermouth bianco*
- *2/10 de vodka*
- *1/10 de cherry brandy.*

Remuer à la cuillère et compléter avec un peu de tonic.

Marnier dry

Short drink • À tout moment

Dans un verre à mélange, verser sur quelques glaçons :

- *4/10 de vermouth dry*
- *3/10 de Grand Marnier Cordon rouge*
- *2/10 de cherry brandy*
- *1/10 d'amaretto.*

Mélanger et servir dans des verres à cocktail.

Porto

Curieux destin que celui de ce vignoble deux fois millénaire : son produit phare, le porto, n'existe que depuis cent cinquante ans à peine, et doit son existence aux Britanniques. Mais ce sont aujourd'hui les Français qui en boivent le plus ! Produit sur des collines tourmentées et quasiment inaccessibles, le vin de Porto a fait pourtant le tour du monde. Consommé le plus souvent jeune (trois ans environ), il peut toutefois vieillir admirablement de quarante à cinquante ans. Vin ou spiritueux ? Le débat ne sera sans doute jamais clos. Certes, le porto doit beaucoup aux vignes du Douro, comme en témoignent les différences marquées entre les productions de telle ou telle *quinta* (domaine viticole en portugais). Mais sans l'apport de l'eau-de-vie, on ne retiendrait de Porto que des vins secs et corsés, assez rustiques.

Une des particularités du porto provient du moment de l'adjonction d'eau-de-vie de vin (qui titre 77°), réalisée en cours de fermentation, ce qui donne au résultat final plus de rondeur et une remarquable aptitude au vieillissement. C'est pourquoi on parle de mutage, c'est-à-dire d'une véritable transformation des sucres résiduels en cours de fermentation.

Il existe des portos de différentes qualités, en fonction surtout de leur âge : rubies (moins de trois ans), tawnies (plus de trois ans), vintage (millésimés), *late bottled vintage* (millésimés embouteillés tardivement), quintas (provenant d'une seule propriété, alors que les portos sont généralement le résultat d'assemblages entre de nombreuses origines), sans oublier le porto blanc.

Le porto n'est pas le seul vin muté à l'eau-de-vie : il en existe en Espagne, avec les différents xérès, et en France, avec les vins doux naturels de Banyuls, de Rivesaltes ou de Maury, ainsi qu'à Madère et en Italie.

Beaucoup de ces vins mutés se suffisent largement à eux-mêmes. Pourtant, les jeunes portos ruby ou même certains rivesaltes apportent beaucoup de force et de puissance à différents cocktails.

Généralement consommé nature, le porto se marie pourtant très bien avec un certain nombre d'ingrédients et était même, en Grande-Bretagne, apprécié dans des préparations chaudes revigorantes.

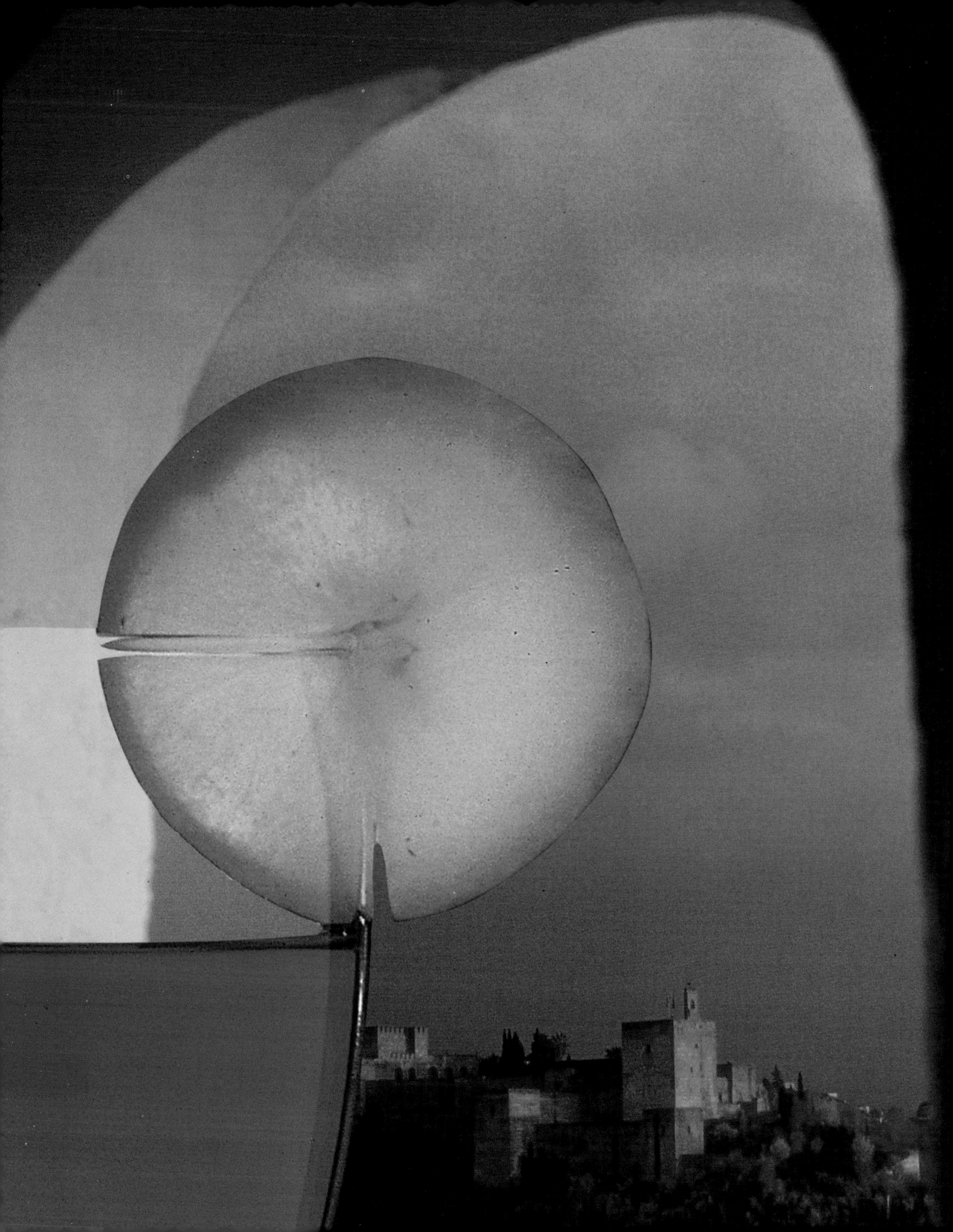

✿ Porto flip

Dans un shaker à demi rempli de glaçons, verser :
- *7/10 de porto ruby*
- *3/10 de cognac*
- *1 cuillerée à café de sucre en poudre*
- *1 jaune d'œuf.*

Frapper énergiquement et passer dans des verres à cocktail. Puis saupoudrer de muscade râpée.

Ce grand classique des short drinks se préparait à l'origine avec un œuf entier, ce qui donnait une préparation plus mousseuse et plus reconstituante.

✿ Porto cobbler

Dans un grand verre tumbler, verser sur de la glace pilée :
- *6/10 de porto ruby*
- *2/10 de jus d'orange*
- *1/10 de Cointreau*
- *1/10 de marasquin.*

Bien mélanger à la cuillère. Se décore également d'une tranche d'orange. Peut se servir avec une paille.

Très rafraîchissant, un long drink à découvrir pour son originalité.

✿ Meliflea

Dans un shaker à demi rempli de glaçons, verser :
- *6/10 de porto blanc sec*
- *2/10 de gin*
- *1/10 de liqueur d'abricot*
- *1/10 de jus de citron vert.*

Frapper et passer dans des verres à cocktail. On peut ajouter en décoration un zeste de citron vert.

Ce short drink met en valeur les arômes subtils et trop souvent méconnus du porto blanc. Idéal à l'apéritif.

✿ Lucky ingrid

Dans un verre à mélange, verser sur quelques glaçons :
- *5/10 de porto ruby*
- *3/10 de cognac*
- *2/10 d'amaretto.*

Mélanger longuement à la cuillère. Passer ensuite dans des verres à cocktail.

Plutôt puissant et corsé, ce short drink est à consommer en fin de repas.

Porto chocolat

Short drink • Digestif

Dans un shaker à demi rempli de glaçons, verser :
- *8/10 de porto ruby*
- *2/10 d'Izarra jaune*
- *1 jaune d'œuf*
- *1 cuillerée à soupe de chocolat froid.*

Frapper longuement et passer dans des verres à cocktail. Saupoudrer de cacao.

De gauche à droite :
Porto flip
Porto cobbler
Meliflea
Lucky ingrid
Adonis
Sherry flip
Coronation
Prairie oyster

✿ Prairie oyster

Dans un verre à cocktail, verser :
- *1 jaune d'œuf*
- *1 cuillerée à café de vinaigre de xérès*
- *1 cuillerée à café de sauce Worcestershire*
- *1 cuillerée à café de ketchup*
- *4 cl de xérès.*

Surtout ne pas mélanger et avaler d'un trait.

Ce cocktail du matin est particulièrement efficace pour remettre les idées en place après une nuit difficile...

Aviation

Short drink • Apéritif

Dans un verre à mélange, verser sur quelques glaçons :
- *5/10 de xérès doux (amontillado)*
- *5/10 de Dubonnet.*

Mélanger à la cuillère et passer dans des verres à cocktail. Ajouter à la fin un zeste d'orange.

✿ Coronation

Dans un verre à mélange, verser sur de la glace pilée :
- *6/10 de xérès*
- *4/10 de vermouth dry*
- *1 trait de marasquin*
- *1 trait de Campari.*

Bien mélanger à la cuillère et passer dans des verres à cocktail rafraîchis.

Bien sec en goût, c'est un apéritif idéal.

Mexicaport

Short drink • Apéritif

Dans un shaker à demi rempli de glaçons, verser :
- *5/10 de porto ruby*
- *5/10 de tequila.*

Bien frapper et passer dans des verres à cocktail. Agrémenter d'une olive verte.

✿ Sherry flip

Dans un shaker à demi rempli de glaçons, verser :
- *4 cl de xérès (fino)*
- *1 cuillerée à café de sucre en poudre*
- *1 jaune d'œuf.*

Bien frapper. Passer dans un verre à pied et saupoudrer de muscade râpée.

Variante du porto flip, ce short drink permet de mesurer la différence entre les deux vins de liqueur de la péninsule Ibérique, le porto et le xérès.

Brazil

Short drink • Apéritif

Dans un shaker à demi rempli de glaçons, verser :
- *4/10 de xérès sec (fino)*
- *4/10 de vermouth dry*
- *2/10 de Pernod*
- *1 trait d'Angostura.*

Bien frapper et passer dans de grands verres à cocktail.

Woippy

Long drink • Apéritif

Dans un shaker à demi rempli de glaçons, verser :
- *4 cl de porto rouge*
- *5 ou 6 fraises bien mûres écrasées*
- *1 cuillerée à soupe de sucre en poudre.*

Bien frapper et passer dans un verre tumbler. Décorer d'une fraise sur bâtonnet.

✿ Adonis

Dans un verre à mélange, verser sur quelques glaçons :
- *7/10 de xérès (fino)*
- *3/10 de vermouth rouge*
- *1 trait d'Angostura.*

Mélanger énergiquement à la cuillère. Passer dans des verres à cocktail et ajouter un zeste d'orange.

Selon le type de xérès utilisé, on obtient un cocktail plus ou moins sec. Pour une qualité sucrée (avec un oloroso par exemple), il vaut mieux ne pas mettre d'Angostura.

Anisés et amers

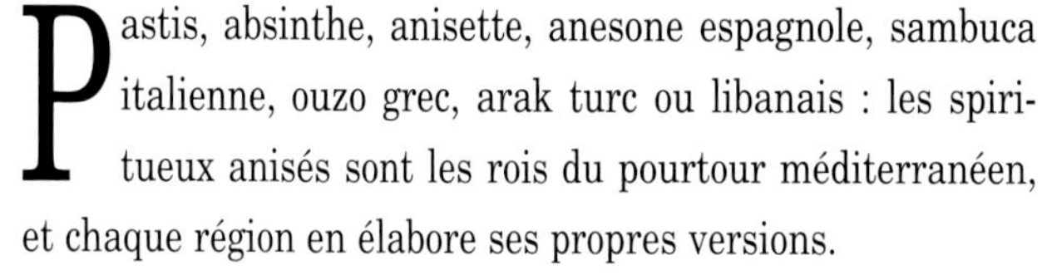

Pastis, absinthe, anisette, anesone espagnole, sambuca italienne, ouzo grec, arak turc ou libanais : les spiritueux anisés sont les rois du pourtour méditerranéen, et chaque région en élabore ses propres versions.

Curieusement, l'essence d'anis ne provient pas d'une seule plante. Elle est en effet extraite de l'anis vert, une ombellifère des régions ensoleillées, mais aussi du fenouil, du cerfeuil ou encore de la badiane, un arbuste de la famille des magnolias qui ne pousse qu'en Asie.

Recommandé par les apothicaires pour ses vertus digestives et calmantes, l'anis va être très vite utilisé par les liquoristes. Ainsi, en 1755, à Bordeaux, Marie Brizard crée une anisette plutôt sucrée. Mais c'est du massif jurassien, entre Suisse et France, que proviendra l'absinthe, au goût fortement anisé. Sous l'impulsion d'Henri-Louis Pernod, fondateur de la maison du même nom, cet élixir va connaître un succès rapide en étant consommé largement étendu d'eau.

L'engouement sera tel que l'absinthe, accusée de tous les maux de la Terre, deviendra le bouc émissaire de la lutte antialcoolique. L'absinthe à peine interdite, en 1915, le pastis apparaît. Il est coloré et aromatisé au caramel, mais c'est toujours la saveur anisée qui l'emporte. C'est aujourd'hui le premier spiritueux consommé en France.

La création d'un cocktail à base d'anis n'est pas toujours évidente, tant sa puissance aromatique a tendance à couvrir le parfum des autres ingrédients. C'est de Londres qu'est arrivée la mode des cocktails anisés, à base notamment de Pernod, un alcool non coloré au caramel qui élargit l'éventail des préparations possibles.

Traditionnellement, dans le monde des spiritueux, on associe aux anisés les amers. Ils sont eux aussi élaborés à base d'alcool. Cette famille regroupe principalement les gentianes, mais aussi les bitters italiens et les autres liqueurs amères. Les barmen en sont particulièrement friands parce que quelques gouttes d'un amer très concentré, l'Angostura bitters par exemple, relèvent bien des recettes.

Le pastis et les autres spiritueux anisés, additionnés d'eau et de glaçons ou bien encore mélangés à d'autres ingrédients, évoquent les ambiances du pourtour méditerranéen.

✿ Suissesse

Dans un shaker à demi rempli de glaçons, verser :
- *7/10 de Pernod*
- *3/10 de jus de citron*
- *1 demi-blanc d'œuf.*

Bien frapper et passer dans des verres tumbler. Compléter avec du soda. Décorer d'une tranche de citron.

Voilà un long drink très désaltérant et méditerranéen en diable, malgré son nom qui rappelle les origines helvétiques du Pernod, né il y a plus de deux siècles.

LE PASTIS TEL QU'IL SE BOIT

Pour consommer l'absinthe, il fallait lui ajouter de l'eau et du sucre, ce qui avait donné naissance à un rituel spécifique et des ustensiles particuliers, comme les cuillères à trous. Etant sucrés dès le départ, les pastis actuels ont juste besoin d'eau fraîche. Les glaçons ne doivent être ajoutés qu'après l'eau, sinon ils peuvent « casser » les arômes essentiels et précipiter l'essence d'anéthol.
La consommation de pastis a donné aussi naissance à des préparations spéciales, aux appellations non déposées, mais aux noms diversement évocateurs : la mominette, qui désigne une demi-dose ; la tomate, avec grenadine ; la mauresque, avec sirop d'orgeat ; le perroquet, avec sirop de menthe ; le canari, avec sirop de citron ; la feuille morte, avec grenadine et sirop de menthe.

✿ Tomate

Dans un grand verre évasé, verser :
- *4 cl de pastis*
- *3 traits de grenadine.*

Allonger d'eau glacée et compléter avec des glaçons.

Un grand classique à base de pastis. Sirops et pastis ont donné lieu à bien d'autres recettes, aux noms plus que pittoresques : (voir encadré ci contre).

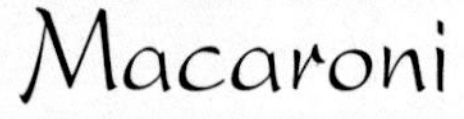

Macaroni

Long drink • Apéritif

Dans un verre tumbler, verser :
- *7/10 de pastis*
- *3/10 de vermouth rouge.*

Mélanger longuement puis compléter avec un peu d'eau glacée et deux glaçons.

Courlis

Short drink • À tout moment

Dans un shaker, verser :
- *6/10 de Pernod*
- *4/10 de Chartreuse verte*
- *1 trait d'Angostura.*

Frapper et passer dans des verres à cocktail.

Perso

Long drink • Apéritif

Dans un shaker à demi rempli de glaçons, verser :
- *4/10 de pastis*
- *3/10 de jus de banane*
- *3/10 de jus de poire*
- *1 trait de grenadine*
- *1 trait de sirop d'orgeat.*

Frapper et passer dans de grands verres tumbler. Décorer de rondelles de banane.

✿ Fréjus

Dans un shaker à demi rempli de glaçons, verser :
- *6/10 de pastis*
- *4/10 de Cointreau*
- *1 trait d'Angostura.*

Bien frapper et passer dans des verres à cocktail. Décorer d'une rondelle de citron.

Un short drink à la fois doux et sec, dont l'originalité en surprendra plus d'un.

Soleil

Short drink • À tout moment

Dans un shaker à demi rempli de glaçons, verser :
- *5/10 de Suze*
- *4/10 de liqueur de lychee*
- *1/10 de jus de citron.*

Bien frapper puis passer dans des verres à cocktail. Décorer de quelques feuilles de menthe et de lychees.

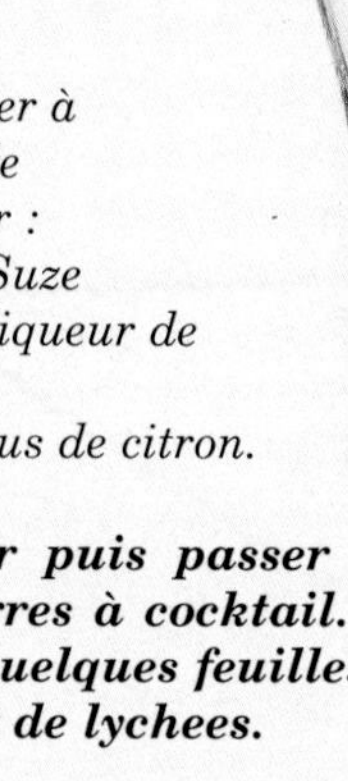

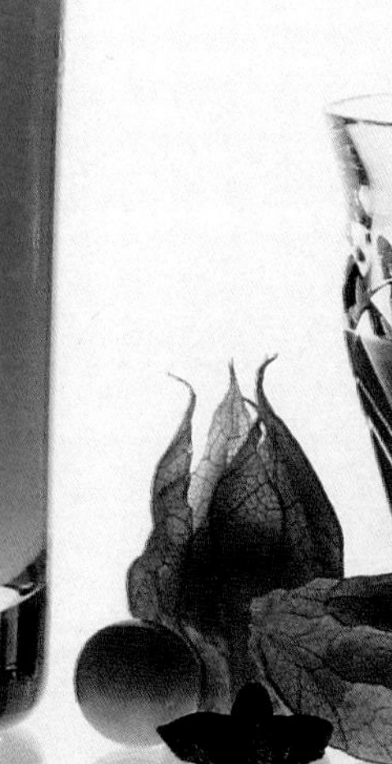

De gauche à droite :
Fond de culotte
Grand frais
Absinthe spécial
Suissesse
Tomate
Fréjus

✿ Absinthe spécial

Dans un shaker à demi rempli de glaçons, verser :
- *5/10 de Pernod*
- *5/10 de gin*
- *1 trait de grenadine*
- *1 trait d'Angostura.*

Frapper et passer dans des verres à cocktail rafraîchis.

Un short drink en hommage à la « fée verte », l'absinthe, ancêtre de la grande famille des anisés.

Canebière

Short drink • Apéritif

Dans un shaker à demi rempli de glaçons, verser :
- *6/10 de pastis*
- *4/10 de cherry brandy.*

Frapper et passer dans des verres à cocktail. Décorer d'une cerise à l'eau-de-vie.

Ariane

Short drink • Digestif

Dans un shaker à demi rempli de glaçons, verser :
- *6/10 de pastis*
- *3/10 de marasquin*
- *1/10 de Cointreau.*

Bien frapper. Passer ensuite dans des verres à cocktail. Saupoudrer de cacao.

Maya

Short drink • Apéritif

Dans un verre à mélange, verser sur quelques glaçons :
- *2/10 de Suze*
- *3/10 de jus d'ananas*
- *1/10 de jus de citron*
- *2/10 de gin*
- *2/10 de Pisang Ambon.*

Bien mélanger et passer dans des verres rafraîchis.

✿ Fond de culotte

Dans un verre à pied, verser sur deux ou trois glaçons :
- *8/10 de Suze*
- *2/10 de crème de cassis.*

Mélanger et compléter si nécessaire d'un peu d'eau plate.

Pourquoi « fond de culotte » ? Parce qu'il ne s'use qu'assis (Suze-cassis). Un intitulé en jeu de mots pour un des grands classiques des comptoirs.

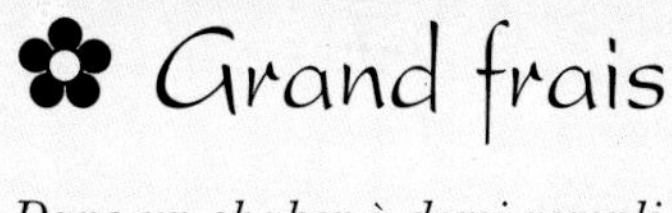

✿ Grand frais

Dans un shaker à demi rempli de glaçons, verser :
- *5/10 de pastis*
- *3/10 de crème de menthe (Get 27)*
- *2/10 de sirop d'orgeat.*

Bien frapper et passer dans de grands verres tumbler. Allonger d'eau plate glacée. Décorer de quelques feuilles de menthe fraîche.

Le long drink typique de l'été, aussi adapté à l'apéritif qu'à une soirée sous les étoiles.

Liqueurs

Bien que l'imagination de certains distillateurs ait apporté originalité et exotisme, la tradition des liqueurs et crèmes de fruits demeure.

Avec les liqueurs, on découvre une des plus vastes familles de spiritueux qui soient, tant l'ingéniosité humaine a mis de talent et d'application à condenser dans ces préparations les arômes et les parfums les plus variés. Elles tirent leurs origines des premières recherches médicinales, lorsque les médecins et les apothicaires ont essayé de conserver dans des préparations spéciales les vertus thérapeutiques des plantes et des épices. Macération, fermentation, puis distillation ont ainsi permis d'obtenir des élixirs d'une grande diversité qui ont d'abord été utilisés pour soigner de nombreuses maladies.

Mais ces préparations avaient également bon goût, car elles parvenaient à fixer des arômes d'une grande qualité. Et l'adjonction de sucre les rendait encore plus agréables. Les premières recettes, surtout à base de plantes, ont été élaborées dans les monastères, par exemple à la Grande Chartreuse, dans le massif du même nom. Puis, héritiers des moines du Moyen Âge comme des apothicaires d'autrefois, de nombreux liquoristes se sont lancés à partir du XVIIe siècle dans la mise au point et la commercialisation de recettes originales, longuement travaillées. En France, Marie Brizard, Édouard Cointreau, Pierre et Jean Get (les créateurs du Get 27), Louis-Alexandre Marnier-Lapostolle (le père du Grand Marnier), M. Clacquesin, Émile Giffard et quelques autres ont ainsi donné leur nom à des liqueurs dont leurs successeurs maintiennent la tradition, réussissant à en développer la notoriété nationale, voire mondiale.

Ces dernières années, des arômes nouveaux sont apparus, plus exotiques, comme la noix de coco, les fruits tropicaux, ou longtemps méconnus, comme la pêche. Parallèlement, la tradition des liqueurs et crèmes de fruits (cassis, mûre, cerise, framboise, fraise, myrtille, poire, noix, etc.) demeure vivace. La liste des productions est presque infinie, et on trouve aujourd'hui des liqueurs de cola, de café, de banane, de lychee, de melon, de fruit de la passion, etc.

Ici, l'imagination n'a pas de limites, pourvu qu'elle respecte un certain savoir-faire. Les grandes liqueurs sont élaborées avec des fruits ou des plantes des meilleures origines et à parfaite maturité. Les procédés d'élaboration (macération ou distillation) sont à peu près identiques, mais l'expérience et le souci de la qualité font toute la différence.

✿ France

Dans une flûte, verser lentement sur le dos d'une cuillère :
- *4/10 de grenadine*
- *3/10 d'anisette*
- *3/10 de curaçao bleu.*

Servir avec une paille. La dégustation s'opère en promenant la paille entre les trois étages de la composition.

Cette préparation, assez spectaculaire, peut se réaliser plus facilement en utilisant le Cocktail-Master *(voir p. 10)**.*

Snowball

Long drink • À tout moment

Dans un petit verre tumbler, verser sur quelques glaçons :
- *4 cl d'advokaat*
- *1 trait de jus de citron vert*
- *1 trait de sirop de sucre de canne.*

Bien mélanger à la cuillère et allonger de limonade.

Slaber

Long drink • À tout moment

Dans un shaker à demi rempli de glaçons, verser :
- *3/10 de liqueur de kiwi*
- *3/10 de curaçao bleu*
- *2/10 de liqueur de banane*
- *2/10 de jus de citron.*

Frapper et passer dans de grands verres tumbler. Compléter d'eau gazeuse et décorer d'une rondelle de kiwi.

✿ Saint-germain

Dans un shaker à demi-rempli de glaçons, verser :
- *4/10 de Chartreuse verte*
- *3/10 de jus de citron*
- *3/10 de jus de pamplemousse*
- *1 blanc d'œuf.*

Bien frapper et passer dans des verres tumbler. Ajouter quelques glaçons et décorer d'une rondelle de citron.

Bien mousseux, ce long drink bénéficie de plus des multiples saveurs de la Chartreuse, bien rehaussées par l'acidité du pamplemousse et du citron.

✿ Grasshopper

Dans un shaker à demi rempli de glaçons, verser :
- *3/10 de crème de cacao incolore*
- *3/10 de crème de menthe verte*
- *4/10 de crème fraîche liquide.*

Bien frapper et passer dans des verres à cocktail.

Un digestif très agréable et doux.

Cassandre

Short drink • Apéritif

Dans un shaker à demi rempli de glaçons, verser :
- *3/10 de Safari*
- *3/10 de crème de pêche de vigne*
- *4/10 de jus de fruit de la passion*
- *1 trait de sirop de fraise.*

Frapper et passer dans des verres à cocktail. Compléter avec un peu de tonic.

✿ Jaffa

Dans un grand verre tumbler, verser sur quelques glaçons :
- *5/10 de Cointreau*
- *5/10 de crème de menthe.*

Mélanger à la cuillère. Compléter avec du Coca-Cola. Se décore également d'une pelure d'orange et de quelques feuilles de menthe fraîche.

Avec ses notes d'orange et de menthe, un long drink exotique et très rafraîchissant qui se sert à tout moment.

De gauche à droite : France, Grasshopper, Jaffa, Saint-germain, Lever de soleil, Mona, Velvet hammer

LA NOTE IRREMPLAÇABLE

Si beaucoup de liqueurs ont connu la célébrité en tant que digestifs, ce mode de consommation a presque disparu de nos jours. Elles ont cependant retrouvé la voie du succès grâce au développement des cocktails, où elles donnent des notes irremplaçables qui stimulent la créativité. Les barmen ne manquent pas de puiser dans une gamme aussi diversifiée, et les liqueurs sont utilisées comme compléments dans nombre de recettes, auxquelles elles apportent leurs arômes spécifiques. Plus rares, en revanche, sont les préparations dont elles constituent la base. Par ailleurs, il faut généralement éviter de les mélanger entre elles, car elles ont tendance à se neutraliser plutôt qu'à se compléter.

✿ Velvet hammer

Dans un shaker à demi rempli de glaçons, verser :
- *3/10 de Cointreau*
- *3/10 de liqueur de café (Tia Maria)*
- *4/10 de crème fraîche liquide.*

Frapper et servir dans des verres à cocktail rafraîchis.

Un grand classique des digestifs à base de crème fraîche. Une douceur bien agréable.

✿ Mona

Dans un grand verre, verser sur de la glace pilée :
- *6/10 de Chartreuse jaune*
- *2/10 de Campari*
- *2/10 de gin.*

Remuer à la cuillère. Allonger de ginger ale ou de tonic. S'agrémente éventuellement d'une rondelle de citron.

Permettantt un excellent équilibre entre douceur et amertume, ce long drink est assez apéritif mais relativement fort.

Délice des bois

Short drink • Digestif

Dans un shaker à demi rempli de glaçons, verser :
- *5/10 de cherry brandy*
- *3/10 de gin*
- *2/10 de liqueur de fraise des bois*
- *1 trait de sirop de sucre.*

Frapper et passer dans des verres à cocktail. Décorer d'une cerise à l'eau-de-vie.

✿ Lever de soleil

Dans un shaker à demi rempli de glaçons, verser :
- *4/10 de Malibu*
- *4/10 de Grand Marnier*
- *2/10 de jus de citron vert.*

Frapper longuement et servir dans de petits verres tumbler. Compléter avec un peu de jus d'ananas bien frais et ajouter 1 trait de grenadine.

Exotique en diable, ce cocktail puissant est à réserver pour les grandes occasions.

✿ Point bleu

Dans un shaker à demi rempli de glaçons, verser :

- *4/10 d'anisette*
- *3/10 de curaçao bleu*
- *3/10 de jus de citron.*

Frapper et passer dans de grands verres ballon. Compléter avec du soda. Décorer d'une tranche d'orange.

Aussi désaltérant à l'œil qu'agréable au palais, ce cocktail se sert à tout moment.

Almond eye

Short drink • Digestif

Dans un shaker à demi rempli de glaçons, verser :

- *3/10 de marsala*
- *3/10 de crème de cacao*
- *4/10 de crème fraîche.*

Bien frapper puis passer dans des verres à cocktail. Saupoudrer de cacao.

✿ Fenno express

Dans un shaker à demi rempli de glaçons, verser :

- *3/10 de Cointreau*
- *3/10 de liqueur de poire*
- *4/10 de jus de citron.*

Frapper et passer dans de grands verres tumbler. Compléter d'indian tonic et décorer d'une rondelle de citron.

À consommer avec modération, compte tenu de sa puissance. Mais ce long drink est tout de même très tentateur.

Duke

Long drink • À tout moment

Dans un shaker à demi rempli de glaçons, verser :

- *5/10 de Drambuie*
- *3/10 de jus d'orange*
- *2/10 de jus de citron*
- *1 œuf entier.*

Bien frapper, passer dans des flûtes à champagne et compléter avec un peu de champagne bien frais.

Café curaçao

Long drink • Digestif

Dans un verre old fashioned, verser sur quelques glaçons :

- *5/10 de liqueur de café*
- *5/10 de triple-sec (curaçao incolore).*

Ajouter un zeste d'orange et servir avec une paille.

Champerelle

Long drink • Digestif

Dans un long verre étroit, verser sur le dos d'une cuillère (ou mieux avec un Cocktail-Master) :

- *3/10 de triple-sec*
- *3/10 d'anisette*
- *2/10 de Chartreuse jaune*
- *2/10 de cognac.*

Se sert tel quel, sans paille.

Block and fall

Short drink • Digestif

Dans un verre à mélange, verser sur quelques glaçons :

- *3/10 de liqueur d'abricot*
- *3/10 de Cointreau*
- *2/10 de calvados*
- *2/10 d'anisette.*

Remuer et passer dans des verres à cocktail rafraîchis.

✿ Golden dream

Dans un shaker à demi rempli de glaçons, verser :

- *3/10 de Galliano*
- *2/10 de Cointreau*
- *3/10 de jus d'orange*
- *2/10 de crème fraîche liquide.*

Frapper et passer dans des verres à cocktail.

Plutôt fort, ce short drink sera surtout apprécié à l'heure des digestifs.

After dinner

Long drink • Digestif

Dans un verre à mélange, verser sur quelques glaçons :

- *5/10 de marasquin*
- *5/10 de kirsch*
- *2 traits de triple-sec*
- *2 traits d'Angostura.*

Bien mélanger à la cuillère et verser dans de grands verres ballon. Peut également se compléter avec du jus d'ananas bien frais.

De gauche à droite :
Point bleu
Fenno express
Golden dream
Arc-en-ciel
B and B

✿ B and B

Dans un petit verre à liqueur, verser doucement :

- *5/10 de Bénédictine*
- *5/10 de cognac (ou de brandy).*

Éviter que les ingrédients se mélangent. Servir tel quel.

Le succès de cette recette a été tel aux États-Unis entre les deux guerres qu'il a conduit Bénédictine à mettre en bouteille un B and B tout préparé. Mais, bien entendu, dans ce cas, les deux ingrédients sont inévitablement mélangés...

✿ Arc-en-ciel

Dans un verre tumbler, verser sur quelques glaçons :

- *4/10 d'advokaat*
- *2/10 de jus d'orange.*

Bien mélanger, puis verser sur le dos d'une cuillère (ou mieux avec un Cocktail-Master) :

- *2/10 de curaçao bleu*
- *2/10 de cherry brandy.*

Servir avec une paille.

Appelée aussi pousse-café, cette composition bien plaisante à l'œil comme au palais terminera agréablement un repas.

Bonbon

Short drink • Digestif

Dans un shaker à demi rempli de glaçons, verser :

- *3/10 de Bénédictine*
- *2/10 de liqueur de café*
- *2/10 de liqueur de pêche*
- *1/10 de liqueur d'abricot*
- *2/10 de crème fraîche liquide.*

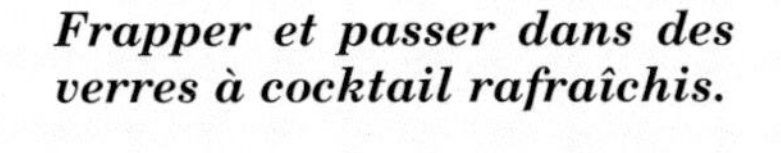

Frapper et passer dans des verres à cocktail rafraîchis.

Charmeur

Short drink • Digestif

Dans un verre à mélange, verser sur quelques glaçons :

- *4/10 d'amaretto*
- *3/10 de liqueur de café Kahlua*
- *3/10 de liqueur de noix de coco*
- *2 cuillerées à soupe de crème fraîche.*

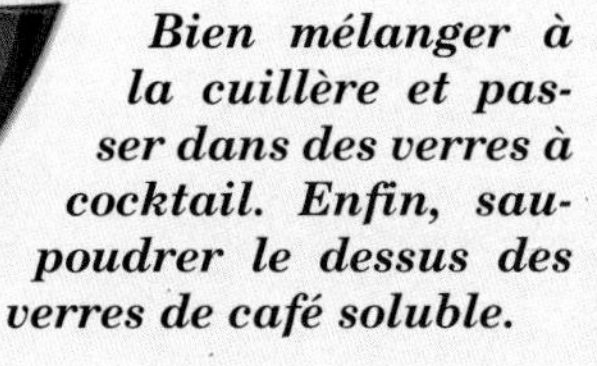

Bien mélanger à la cuillère et passer dans des verres à cocktail. Enfin, saupoudrer le dessus des verres de café soluble.

Vin

Légers, charpentés, acides ou fruités, les vins, blancs ou rouges, mélangés à des jus de fruits ou à des liqueurs de fruits, offrent de nombreuses possibilités de cocktails trop souvent méconnues.

Un des cocktails les plus répandus en France aujourd'hui est certainement le kir : vieille tradition bourguignonne, cette alliance entre le vin blanc aligoté et la crème de cassis a conquis tout le pays et se décline désormais de bien des façons.

En utilisant d'autres vins, d'autres cépages ainsi que d'autres crèmes de fruits (mûre, framboise, fraise, etc.), on a créé toute une variété de combinaisons finalement très appréciées des consommateurs. Les vins rouges peuvent également être mariés selon les mêmes principes. Pourtant, l'emploi du vin dans les cocktails n'a rien d'une évidence dans un pays comme le nôtre, où le respect du terroir, du cépage et de l'art de la vinification est poussé à un très haut niveau. Suggérer de mélanger le résultat de tant d'efforts avec d'autres ingrédients paraît souvent une véritable hérésie.

Pourtant, l'élitisme a ses limites : il faut bien reconnaître que tous les vins produits ne sont pas d'une qualité telle qu'ils doivent en devenir intouchables. Aussi serait-il regrettable que le créateur de cocktails s'interdise un ingrédient par ailleurs largement répandu. Les Britanniques, qui n'ont pas nos scrupules de producteurs tout en étant de fins connaisseurs, sont à l'origine de plusieurs recettes à base de vin, dont ils apprécient les vertus reconstituantes.

De nombreux vins sont eux-mêmes, en quelque sorte, des cocktails. Ainsi, dans le Bordelais, la plupart des vins sont issus de trois cépages au moins, chacun apportant ses caractères spécifiques. Pour le châteauneuf-du-pape, on atteint même la douzaine ! Au maître de chai de trouver la bonne combinaison, le mélange le plus satisfaisant en fonction des origines diverses. De leur côté, bien des négociants proposent des vins à leur marque, fruits de l'association entre des cépages, des terroirs et même des millésimes différents au sein d'une même appellation. Et que dire des vins « issus de différents pays de l'Union européenne », sinon qu'ils sont eux aussi des cocktails... prêts à la consommation !

Qu'ils soient légers ou plutôt charpentés, fruités ou acides, de nombreux vins, blancs comme rouges, peuvent entrer dans la composition de cocktails. Car ils se marient bien avec les crèmes et liqueurs de fruits, mais aussi avec certains jus de fruits. Si l'association avec des eaux-de-vie de vin, le cognac notamment, est tout à fait recommandée, il vaut mieux éviter en revanche les mélanges avec des alcools de grain.

RESTAURANT
le
Poêlon

✿ Sangria

(pour 6 personnes)

Dans un grand saladier, verser :
- *1 bouteille de vin rouge corsé*
- *4 cuillerées à café de sucre*
- *8 cl de cognac*
- *8 cl de Cointreau*
- *le jus et le zeste d'une orange*
- *le jus et le zeste d'un citron*

Ne pas oublier de mettre au frais jusqu'au moment de servir, pendant 6 heures au moins. Lors du service, ajouter des glaçons, de l'eau gazeuse (de 20 à 30 cl), des tranches d'orange, des rondelles de citron et des fruits de saison (morceaux de pêche, d'abricot, etc.) Mélanger et verser à la petite louche dans des coupes à champagne.

Choisir de préférence un vin bien corsé d'Espagne, d'où nous vient la recette, ou encore de Cahors ou du Sud-Ouest pour ce cocktail très convivial, dont il existe de multiples variantes.

Cocktail bordelais

Long drink • Apéritif

(pour 12 personnes)

Dans une coupe à punch, verser :
- *2 brugnons coupés en morceaux*
- *4 abricots coupés en morceaux*
- *6 fraises*
- *10 framboises*
- *1 orange coupée en tranches fines.*
- *10 cl de cognac*
- *10 cl de Cointreau.*

Mettre au frais pendant environ 1 heure. Au moment de servir, ajouter 2 bouteilles de sauternes (ou d'un autre vin blanc liquoreux) et des glaçons. Remuer et servir dans des coupes individuelles.

Argentine

Long drink • Apéritif

Dans un shaker à demi rempli de glaçons, verser :
- *3/10 de bordeaux rouge*
- *3/10 de cognac*
- *2/10 de jus d'orange*
- *2/10 de jus d'ananas*
- *1 trait de Cointreau.*

Bien frapper et passer dans des verres tulipe contenant quelques glaçons. Décorer d'une demi-tranche d'orange.

Western electric

Long drink • À Tout moment

Dans un shaker à demi rempli de glaçons, verser :
- *4/10 de bordeaux rouge*
- *3/10 de cognac*
- *3/10 de Cointreau.*

Frapper et passer dans des flûtes à champagne. Ajouter du soda sans trop mélanger.

Spritzer

Short drink • À tout moment

Dans un verre ballon, verser :
- *7/10 de vin blanc sec bien frais*
- *3/10 d'eau gazeuse.*

Servir tel quel.

Cardinal

Long drink • Apéritif

Dans un verre à mélange, verser sur quelques glaçons :
- *8/10 de vin rouge léger*
- *1/10 de crème de cassis*
- *1/10 d'eau-de-vie de framboise.*

Bien mélanger à la cuillère et passer dans des verres à vin.

De gauche à droite :
Sangria
Kir
Smiling
Bishop

✿ Smiling

Rafraîchir une coupe à champagne avec de la glace, puis après l'avoir vidée, verser :
- *1/10 de cognac*
- *6/10 de vin blanc sec bien frais*
- *3/10 de ginger ale ou de tonic.*

Se décore également d'une demi-tranche d'orange.

Un long drink plutôt désaltérant, idéal à l'apéritif si le vin blanc est bien sec.

✿ Bishop

Dans un verre tumbler à demi rempli de glace pilée, verser :
- *5/10 de bourgogne rouge*
- *3/10 de jus d'orange*
- *2/10 de jus de citron*
- *1 cuillerée à café de sucre en poudre.*

Remuer à la cuillère. Ajouter du rhum. Se décore aussi avec une rondelle de citron.

Ce pourrait être un reconstituant si elle était préparée chaude, mais cette recette très fraîche constitue un long drink très agréable en apéritif.

Punch vaté

Long drink • À tout moment

(pour 12 personnes)

Dans une coupe à punch, verser :
- *2 bouteilles de vin blanc doux*
- *10 cl de Grand Marnier*
- *10 cl de cognac*
- *1 orange coupée en tranches très fines*
- *1 citron coupé en tranches très fines*
- *1 demi-ananas frais coupé en morceaux.*

Mettre au frais 2 heures au moins avant de servir.

Burgundy cocktail

Long drink • À tout moment

(pour 6 personnes)

Dans une coupe à punch, verser sur une vingtaine de glaçons :
- *1 bouteille de bourgogne rouge léger*
- *10 cl de porto ruby*
- *10 cl de jus d'orange*
- *2 cl de jus de citron*
- *1 litre d'eau gazeuse fraîche*
- *3 cuillerées à soupe de sucre en poudre.*

Bien mélanger et décorer les verres de service avec des demi-tranches d'orange.

Kir

Dans un verre ballon, verser :
- *2/10 de crème de cassis*
- *8/10 de bourgogne blanc aligoté bien frais.*

Servir tel quel.

Cette recette traditionnelle bourguignonne permettait d'adoucir l'acidité naturelle du bourgogne aligoté par une crème de cassis, également production locale. Elle a donné lieu à de multiples variantes associant d'autres vins blancs ou rouges avec toute la gamme des crèmes de fruits. L'important est de choisir des vins plutôt acides et frais pour que le kir reste une boisson apéritive.

Champagne

Depuis que dom Pérignon et d'autres moines du XVIIe siècle ont su faire « prendre mousse » aux vins de la Marne et ont eu l'idée d'assembler entre elles les récoltes des différentes parcelles de la région, le champagne était prêt à conquérir le monde.

Mais les premières grandes maisons de négoce ont fait preuve d'obstination et de courage pour perfectionner ce qui est devenu la méthode champenoise et pour convaincre les autres régions de France, puis les pays d'Europe et du monde entier, de l'irremplaçable originalité de leurs vins.

Les vins des différents crus de la Marne et de l'Aube sont issus de trois cépages vinifiés très classiquement : le chardonnay, le pinot noir et le pinot meunier. Ensuite, intervient l'art de l'assemblage, caractéristique principale du champagne. Même s'il existe une petite production émanant d'un seul vignoble, voire d'une seule parcelle, c'est en combinant les qualités des cépages, des vignobles et des millésimes que les maîtres de chai élaborent des champagnes de qualité. Cet assemblage est ensuite mis en bouteille pour une seconde fermentation (dans des caves de craie), qui dure plusieurs années.

La diversité est très grande dans l'appellation de champagne, puisque chaque maison de négoce (on en compte plus de 120) possède son style propre, fruit d'une longue tradition.

Bruts sans année, millésimés, cuvées de prestige (composées avec les meilleures récoltes), sans oublier les rosés (obtenus par adjonction d'une petite quantité de vin rouge), constituent l'essentiel des gammes existantes. Pour les cocktails, un brut sans année de bonne réputation est suffisant. Outre dans certains classiques internationaux (comme le champagne cocktail), le champagne est de plus en plus apprécié des barmen, car il permet d'allonger facilement une composition tout en apportant finesse et élégance.

D'autres vins effervescents, les crémants (Loire, Alsace, Bourgogne, Limoux notamment) peuvent remplacer le champagne dans les cocktails. Ce n'est pas faire insulte au champagne que d'admettre qu'il a fait des émules qui ne sont pas indignes de lui, loin s'en faut.

Aujourd'hui, le champagne est synonyme de joie et aucune fête ne peut se passer de la détonation si caractéristique qui marque l'ouverture d'une bouteille.

✿ Champagne cocktail

Dans une flûte à champagne, poser un morceau de sucre imbibé de quelques gouttes d'Angostura. Ajouter 2 cl de cognac et allonger de champagne rafraîchi.

Peut également se décorer d'une tranche d'orange.

Un grand classique des bars, un peu passé de mode mais pourtant très agréable par ses contrastes aromatiques.

SERVIR LE CHAMPAGNE

• Refroidir la bouteille au réfrigérateur ou dans un seau contenant de la glace et une poignée de gros sel pour accélérer le refroidissement. Ne jamais mettre de glaçons dans le verre, car ils font disparaître les arômes et les bulles.

• Tenir la bouteille par la base et non par le col, ce qui permet un service plus facile... et plus élégant.

• Pour conserver quelques heures une bouteille entamée, utiliser un bouchon à fermeture mécanique, voire un bouchon de liège. Le « truc » de la petite cuillère dans le goulot est totalement inefficace.

• La flûte met plus en valeur les qualités du champagne que la coupe et permet aux bulles de tenir plus longtemps.

Bellini

Long drink • Apéritif (pour 6 personnes)

Dans un saladier, verser :

- *3 ou 4 pêches bien mûres, écrasées en purée*
- *2 cuillerées à café de sucre en poudre*
- *1 bouteille de champagne rafraîchi.*

Mélanger et passer dans six flûtes à champagne.

Mandarine impériale

Long drink • Apéritif

Dans une flûte, verser :

- *3/10 de Mandarine impériale*
- *7/10 de champagne frais.*

Servir en décorant avec des quartiers de mandarine.

✿ Champagne julep

Écraser des feuilles de menthe fraîche avec 1 cuillerée de sucre en poudre. Verser le tout dans le fond d'une flûte à champagne.

Ajouter du champagne bien frappé et agrémenter d'une branche de menthe.

Très rafraîchissant, ce cocktail peut également être préparé hors saison en remplaçant les feuilles de menthe fraîche par un peu de liqueur de menthe incolore. Effet de surprise garanti !

✿ Barbotage

Dans un shaker à demi rempli de glaçons, verser :

- *6/10 de jus d'orange*
- *3/10 de jus de citron*
- *1/10 de grenadine.*

Frapper et verser dans des flûtes à champagne. Compléter de champagne rafraîchi.

Un ou deux t à « barbotage » ? Les auteurs sont divisés sur la question, mais tombent d'accord pour trouver ce cocktail très désaltérant à l'apéritif.

Saint-nicolas

Long drink • À tout moment

Dans une flûte, verser :

- *3/10 de liqueur de mirabelle*
- *7/10 de crémant de Toul (ou, à défaut, de crémant d'Alsace).*

Ajouter une ou deux mirabelles au sirop et servir frais

Royale

Long drink • À tout moment

Dans un shaker à demi rempli de glaçons, verser :

- *6/10 de crème de framboise*
- *4/10 d'armagnac.*

Frapper et passer dans des flûtes. Compléter avec du champagne rafraîchi et une ou deux framboises fraîches.

✿ Monin n° 1

Dans une flûte, verser :

- *3/10 de Monin Triple Lime*
- *1/10 de Campari*
- *6/10 de champagne frais.*

Servir tel quel.

Un long drink étonnant, avec des arômes de citron bien développés. À découvrir.

De gauche à droite :
Champagne coccktail
Champagne julep
Barbotage
Pick me up
Monin n°1
Day dream
Guignolo

✿ Day dream

Dans un shaker à demi rempli de glaçons, verser :
- *2/10 de jus de raisin blanc*
- *2/10 de vermouth dry*
- *2/10 de curaçao bleu*
- *4/10 de gin.*

Frapper et passer dans des flûtes à champagne. Compléter de champagne rafraîchi.

Un long drink puissant, aux arômes complexes. À savourer lentement.

Amarus

Long drink • À tout moment

Dans un shaker à demi rempli de glaçons, verser :
- *6/10 de jus d'orange*
- *2/10 de liqueur de fraise des bois*
- *2/10 d'amaretto.*

Frapper et passer dans une flûte. Compléter de champagne rafraîchi et, en saison, de fraises des bois.

✿ Pick me up

Dans un shaker à demi rempli de glaçons, verser :
- *6/10 de cognac*
- *4/10 de Grand Marnier*
- *le jus d'une demi-orange*
- *1 trait de grenadine.*

Frapper et passer dans de grands verres à pied. Compléter avec du champagne rafraîchi et décorer d'une demi-tranche d'orange.

Plutôt décontractant, ce mariage entre l'orange et le champagne est un excellent long drink apéritif.

✿ Guignolo

Dans une flûte à champagne, verser :
- *3/10 de nectar de cerise*
- *2/10 de guignolet*
- *5/10 de champagne frais.*

Peut être décoré avec une cerise à l'eau-de-vie.

Succès garanti lorsqu'on associe du champagne avec le jus d'un fruit et la liqueur, ou la crème, correspondante : pêche, fraise, framboise, melon, etc.

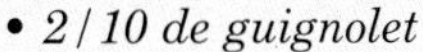

Bière

Fruit de traditions anciennes ou de procédés nouveaux, la bière, blonde ou brune, est la boisson choisie entre toutes par les amoureux des ambiances chaleureuses et conviviales des pubs.

La plus vieille boisson fermentée élaborée par l'homme, peut-être dès 6000 av. J.-C., et la plus répandue dans le monde n'a guère la faveur des barmen.

La bière, il est vrai, se suffit largement à elle-même, ne serait-ce que par sa grande diversité gustative, selon les pays d'origine et les modes d'élaboration. À partir principalement d'orge maltée, mais aussi de blé, d'avoine ou de grains crus comme le maïs ou le riz, le brasseur confectionne un moût sucré. Fermenté avec des levures spécifiques et aromatisé avec le houblon, ce moût donnera naissance à la bière après une période de garde. Si cette recette de base est commune à toutes les méthodes, chaque brasseur dispose d'une grande latitude dans la mise au point de ses créations. Le choix des matières premières, les techniques de brassage, la nature de la fermentation (haute, basse ou spontanée), le mélange des houblons (amérisants ou aromatiques), la durée et le type de garde vont commander les caractères, voire l'originalité du produit final. La couleur, du blond le plus pâle au brun le plus foncé, sera fonction du degré de torréfaction des céréales.

Ales britanniques, trappistes et gueuzes belges, munichoises brunes, bières de garde du Nord-Pas-de-Calais, stouts irlandais, lagers tchèques : la diversité des bières est grande, même si le type le plus répandu aujourd'hui est la pils blonde, appelée aussi lager, la mieux adaptée à l'élaboration de cocktails à la bière. Pour ces derniers, on se gardera de sélectionner une bière trop particulière : ses goûts spécifiques seraient atténués, voire annihilés par les autres composants.

En revanche, il ne faut pas hésiter à préférer une bière plutôt amère, car c'est ce caractère qui relèvera au mieux le résultat final. De même, on choisira toujours une bière bien fraîche, à la fois quant à sa date de fabrication et sa température. L'ajout de glaçons est toutefois à proscrire : ceux-ci « casseraient » immédiatement la bière et lui feraient perdre ses principales caractéristiques aromatiques.

Les traditions populaires de cocktails à la bière, comme l'association avec le schnaps en Allemagne, avec la limonade dans le panaché, avec des sirops de fruits (grenadine, menthe ou citron) ou encore avec des amers (le Picon notamment), indiquent que, outre ses vertus rafraîchissantes, la bière se marie fort bien avec d'autres composants et a tout à fait sa place dans l'élaboration de recettes inédites.

JACQUES MERIUS
CAFÉ - RESTAURANT

✿ Amer-bière

Dans un verre à pied, verser :
- *5 cl de Picon*
- *25 cl de pils fraîche.*

Servir tel quel.

Qu'ils viennent d'Afrique du Nord (Picon) ou d'Italie, c'est en Alsace et dans les pays du Nord que les amers se marient le plus fréquemment à la bière. Il existe même un amer à base d'artichaut, le Cynar, qu'on trouve toujours en Alsace.

Maréchal

Long drink • À tout moment

Dans un verre tulipe, verser :
- *5/10 de pils blonde*
- *5/10 de champagne.*

Servir bien frais.

✿ Bangkok

Dans un verre à bière, verser :
- *2/10 de vermouth blanc*
- *1/10 de curaçao bleu*
- *7/10 de pils fraîche.*

Servir tel quel.

Une tentative d'innovation, qu'on doit à la brasserie Pelforth.

Mannekenpis

Long drink • À tout moment

Dans un verre à bière, verser :
- *2/10 de liqueur Mandarine impériale*
- *1/10 de Campari*
- *3/10 de gueuze (bière bruxelloise) bien fraîche.*

Servir immédiatement.

POUR L'AMERTUME

Provenant du houblon, l'amertume est la caractéristique principale de la bière, et c'est elle que les recettes de cocktails se doivent de préserver en évitant l'ajout trop important de sucre. On peut encore la renforcer, comme le préconisent certaines traditions locales (en Alsace notamment) avec des amers, tels le Picon, ou encore le Cynar, à base d'artichauts. Les agrumes (orange ou citron) sont appropriés, car leur acidité apporte un contraste très intéressant avec l'amertume. En revanche, les vrais amoureux de la bière n'apprécient guère les préparations de type panaché (avec limonade), car elles sont généralement trop sucrées. Ne jamais ajouter de glaçons, qui tuent la mousse.

Banana

Long drink • À tout moment

Dans le bol d'un mixer, mettre :
- *1 banane bien mûre*
- *25 cl de limonade.*

Actionner le mixer quelques instants, servir dans quatre verres, puis compléter de limonade et de pils blonde fraîches à parts égales.

Rio

Long drink • À tout moment

Dans un verre à bière, verser :
- *1/10 de sirop de framboise*
- *4/10 de jus de pamplemousse*
- *1 trait de curaçao bleu*
- *5/10 de pils blonde.*

Servir bien frais.

✿ Black velvet

Dans un grand verre, verser :
- *5/10 de stout (Guinness, Murphy's)*
- *5/10 de champagne frappé.*

Servir aussitôt.

Un des rares cocktails à la bière ayant un rang de classique international.

Ale flip

Long drink • Digestif

Dans un shaker, verser sur un peu de glace pilée :
- *1 bouteille d'ale anglaise*
- *1 œuf entier.*

Frapper assez vigoureusement. Servir bien frais dans une chope en grès ou dans un verre à pied.

✿ Colombo

Dans un verre à bière, verser :
- *2/10 de crème de cassis*
- *2/10 de jus de raisin blanc*
- *6/10 de pils fraîche.*

Servir aussitôt.

Rafraîchissant et peu alcoolisé, un long drink qui plaît à une clientèle jeune.

Irish Picon

Long drink • Apéritif

Dans un verre à bière, verser :
- *2 traits de grenadine*
- *2 cl de Picon*
- *1 bouteille de stout rafraîchie.*

Ajouter au moment de servir un zeste de citron.

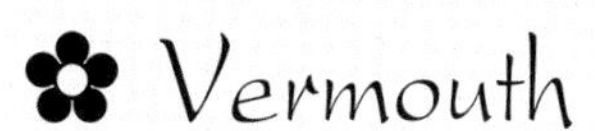

Vermouth

Dans un verre à bière, verser :
- *1 trait de grenadine*
- *2/10 de vermouth rouge*
- *8/10 de pils blonde bien fraîche.*

Servir aussitôt.

Même si le mariage entre bière et vin est à envisager avec précaution, la combinaison avec le vermouth mérite une dégustation.

Joao weisse

Long drink • Apéritif

Dans un verre à mélange, verser sur un peu de glace pilée :
- *1 bouteille de 33 cl de weissebier (bière allemande au froment)*
- *2 cl de porto ruby*
- *1 cuillerée à café de sucre en poudre.*

Mélanger doucement et verser dans un grand verre à pied. Saupoudrer d'un peu de muscade râpée.

Monaco

Dans un verre à bière, verser :
- *1 trait de grenadine*
- *25 cl de pils fraîche.*

Servir aussitôt.

Un classique du comptoir à la française. Il existe des variantes avec d'autres sirops (menthe, fraise, citron, etc.). Dans une version « allégée », on mélange à parts égales bière et panaché.

Oslo

Dans un verre à bière, verser :
- *2/10 de liqueur de banane*
- *2/10 de liqueur de fraise*
- *6/10 de Pelforth brune.*

Servir aussitôt.

La bière brune se mélange fort bien avec des notes aromatiques exotiques.

De gauche à droite :
Amer-bière
Bangkok
Black velvet
Colombo
Monaco
Oslo
Vermouth

Sans alcool

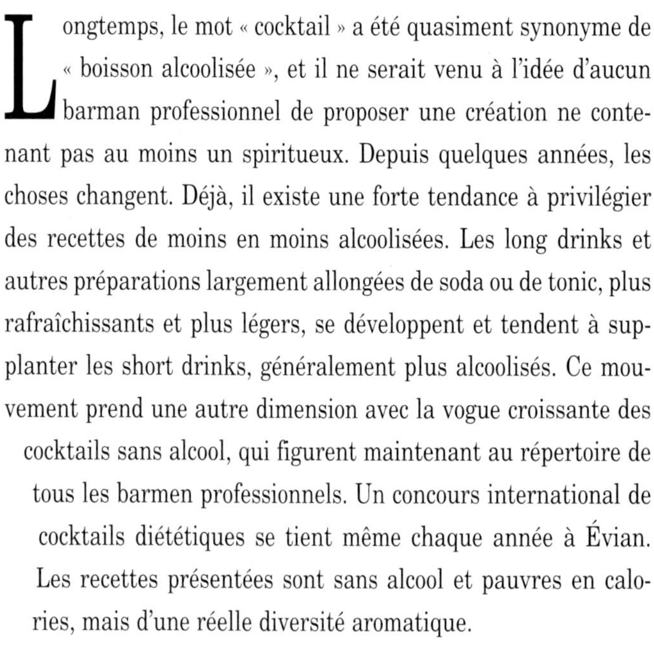

Longtemps, le mot « cocktail » a été quasiment synonyme de « boisson alcoolisée », et il ne serait venu à l'idée d'aucun barman professionnel de proposer une création ne contenant pas au moins un spiritueux. Depuis quelques années, les choses changent. Déjà, il existe une forte tendance à privilégier des recettes de moins en moins alcoolisées. Les long drinks et autres préparations largement allongées de soda ou de tonic, plus rafraîchissants et plus légers, se développent et tendent à supplanter les short drinks, généralement plus alcoolisés. Ce mouvement prend une autre dimension avec la vogue croissante des cocktails sans alcool, qui figurent maintenant au répertoire de tous les barmen professionnels. Un concours international de cocktails diététiques se tient même chaque année à Évian. Les recettes présentées sont sans alcool et pauvres en calories, mais d'une réelle diversité aromatique.

Outre les sodas et les soft drinks, aromatisés ou non, ce sont les jus de fruits qui constituent les ingrédients principaux des cocktails sans alcool. L'idéal est bien entendu d'utiliser des fruits frais. Au-delà de leur richesse en vitamines, de tels jus révèlent au mieux les arômes des fruits. Mais, s'il est encore relativement facile d'extraire le jus des agrumes, l'affaire se complique singulièrement avec les fruits rouges, le raisin, voire les fruits exotiques comme la goyave ou la papaye.

C'est pourquoi l'amateur doit souvent recourir aux jus disponibles dans le commerce. Il faut alors toujours préférer les boissons garanties « 100 % jus de fruits », car cela implique qu'elles ne contiennent ni eau, ni sucres additionnels, et privilégier les jus les plus colorés, car ils donneront les présentations les plus agréables à l'œil. Quant aux nectars, qui contiennent une certaine quantité d'eau, ils permettent de tirer parti de fruits pauvres en liquide, comme la banane ou l'abricot.

Venus de la diététique, les jus de légumes autorisent également des créations savoureuses. Carotte et tomate, bien sûr, mais aussi céleri et concombre sont les plus utilisés, et il est intéressant de les relever avec certains aromates, comme le sel de céleri ou le piment. Là aussi, il existe encore un vaste champ de recherches pour inventer de nouvelles combinaisons.

Sous certaines latitudes, comme ici à Bali, le soleil qui règne donne envie de fraîcheur et de saveurs fruitées et acidulées pour des boissons toniques et rafraîchissantes, à boire tout au long de la journée.

✿ Green

Dans un shaker à demi rempli de glaçons, verser :
- *2/10 de sirop de menthe vert*
- *4/10 de jus d'ananas*
- *4/10 de jus de pamplemousse.*

Bien frapper et passer dans des verres tumbler. Compléter avec de l'indian tonic. Peut se décorer d'un morceau d'ananas et d'une feuille de menthe fraîche.

Tonique et très rafraîchissant, à conseiller bien sûr aux golfeurs, comme son nom l'indique, mais aussi aux autres.

✿ Tie-break

Dans un shaker à demi rempli de glaçons, verser :
- *2/10 de sirop d'orgeat*
- *4/10 de jus d'orange*
- *4/10 de jus d'ananas*
- *2 traits de vanille liquide concentrée.*

Bien frapper et passer dans des verres à pied. Peut éventuellement se décorer d'une demi-tranche d'orange.

Ce long drink se sert très frais.

✿ Fleur d'amour

Dans un shaker à demi rempli de glaçons, verser :
- *4/10 de nectar de banane*
- *4/10 de jus de mangue*
- *2/10 de jus d'ananas.*

Bien frapper et passer dans de grands verres tumbler. Agrémenter entre autres de rondelles de banane.

Exotique en diable, il est également très reconstituant, car hautement calorique.

Vitamine

Long drink • Diététique

Verser sur de la glace pilée :
- *un jus de citron*
- *80 g de carottes épluchées.*
- *40 g de céleri épluché.*
- *9 cl d'eau minérale.*

Ajouter sel de céleri, Tabasco et sauce Worcestershire. Mixer et passer dans des verres fantaisie.

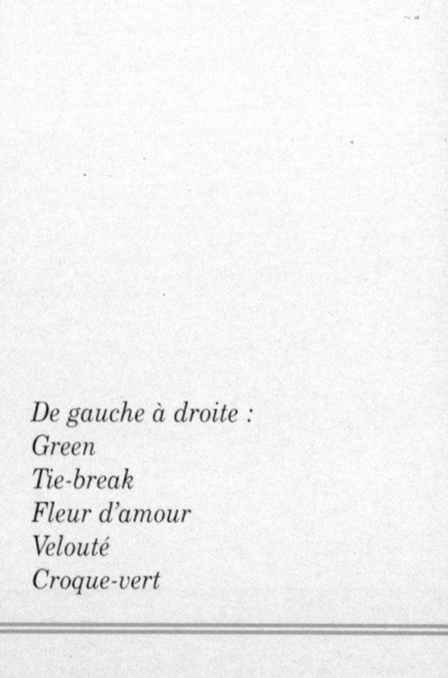

De gauche à droite :
Green
Tie-break
Fleur d'amour
Velouté
Croque-vert

✿ Velouté

Dans un shaker à demi rempli de glaçons, verser :
- *5/10 de jus de tomate*
- *5/10 de jus de carotte*
- *1 ou 2 traits de Tabasco*
- *1 pincée de sel de céleri.*

Frapper et passer dans de grands verres à pied. Se décore aussi d'une tranche de carotte et d'une cerise confite.

Apéritif et relevé à la fois, ce cocktail se dose au goût de chacun, en forçant plus ou moins sur le Tabasco et le sel de céleri.

✿ Croque-vert

(pour 4 personnes)

Passer 2 concombres moyens et 1 grosse poignée de persil frisé à la centrifugeuse. Ajouter le jus d'un citron. Saler et poivrer.

Verser dans quatre verres à pied contenant de la glace pilée. Peut se décorer de morceaux de concombre.

Ce long drink désaltérant ne devrait pas plaire qu'aux végétariens.

Barbarella

Short drink • Apéritif

Dans un verre tumbler contenant quelques glaçons, verser :
- *4 traits d'Angostura*
- *1/10 de sirop de fraise*
- *9/10 de jus de raisin.*

Bien remuer à la cuillère et servir immédiatement.

Rouge orange

Long drink • À tout moment

Dans un verre à mélange, verser sur quelques glaçons :
- *7/10 d'infusion de fleur d'oranger refroidie*
- *1/10 de sirop de fraise*
- *1/10 de sirop de framboise*
- *1/10 de sirop de cassis.*

Bien remuer à la cuillère et servir en ajoutant quelques morceaux de fruits rouges (fraise, framboise, etc.).

Blanc-bec

Long drink • Apéritif

Dans un shaker à demi rempli de glaçons, verser :
- *5/10 de sirop de menthe*
- *3/10 de jus de citron*
- *2/10 de sirop de sucre de canne.*

Frapper puis servir dans des coupes à champagne.

Fruit cup

Long drink • À tout moment

Dans un verre à mélange, verser sur quelques glaçons :
- *1/10 de sirop de framboise*
- *1/10 de sirop de fraise*
- *2/10 de jus d'ananas*
- *2/10 de jus de citron*
- *2/10 de jus d'orange*
- *2/10 de jus de raisin.*

Mélanger énergiquement à la cuillère, puis passer dans des verres tumbler.

Incorruptible

Long drink • À tout moment

Dans un shaker à demi rempli de glaçons, verser :
- *6/10 de jus de pamplemousse*
- *4/10 de jus d'orange.*

Frapper et passer dans des flûtes à champagne. Ajouter de la limonade bien fraîche.

Santa maria

Long drink • Diététique

Dans un mixer, verser sur de la glace pilée :
- *des feuilles de roquette*
- *80 g de chair d'ananas*
- *10 cl de jus de pamplemousse*
- *2 g de succédané de sucre*
- *de la sauce Worcestershire.*

Mixer et passer dans un verre fantaisie.

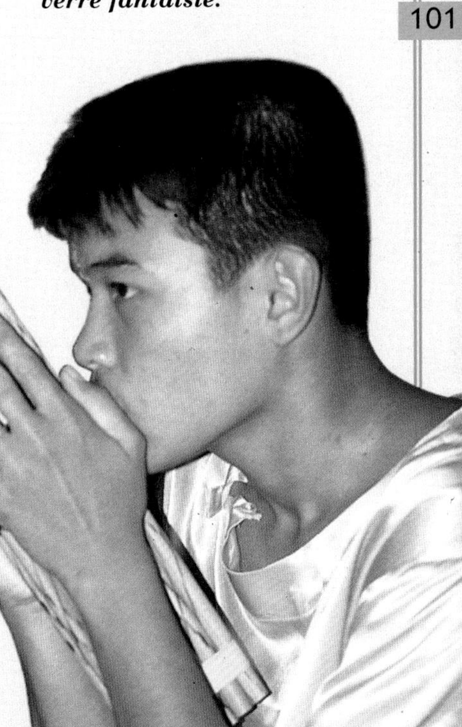

Flip melon

Long drink • Apéritif

Dans un mixer, mettre sur de la glace pilée :

- *40 g de betterave rouge*
- *70 g de melon*
- *40 g d'orange*
- *20 g de pamplemousse*
- *1 yaourt.*

Bien mixer et verser dans un verre tumbler.

Campagnard

Long drink • À tout moment

Dans un mixer, mettre sur de la glace pilée :

- *40 g de chou blanc*
- *40 g de concombre épluché*
- *30 g de céleri*
- *50 g de tomate épluchée et épépinée*
- *30 g de persil.*

Mixer et servir dans de petits verres tumbler.

✿ Milkiwi

Dans un shaker à demi rempli de glaçons, verser :

- *5/10 de lait frais*
- *5/10 de nectar de kiwi.*

Frapper longuement et passer dans des verres tumbler. Ajouter 2 traits de sirop de fraise. Se décore aussi d'une rondelle de kiwi et d'une demi-fraise sur bâtonnet.

Onctueux et savoureux, ce long drink peut calmer une petite faim dans l'après-midi.

Potager

Long drink • À tout moment

Dans un shaker à demi rempli de glaçons, verser :

- *2/10 de jus de citron*
- *8/10 de jus de carotte.*

Ajouter du sel de céleri puis plusieurs traits de sauce Worcestershire. Bien frapper et passer dans des verres ballon. Décorer d'une demi-rondelle de citron et d'une cannelure de carotte.

Biberon

Long drink • À tout moment

Dans un shaker à demi rempli de glaçons, verser :

- *5/10 de lait*
- *5/10 de jus d'orange.*

Ajouter 2 traits de sirop de mandarine. Frapper longuement et passer dans de petits verres tumbler.

✿ Pussy foot

Dans un shaker à demi rempli de glaçons, verser :

- *7/10 de jus d'orange*
- *3/10 de jus de citron*
- *1 jaune d'œuf.*

Bien frapper et passer dans de grands verres tumbler contenant des glaçons. Verser enfin 1 trait de grenadine.

Ce cocktail sans alcool a été créé en hommage à Pussy Foot Johnson, un des militants de la prohibition aux États-Unis.

TOUS LES GOÛTS ET TOUTES LES COULEURS

En plus des jus de fruits, d'autres produits entrent dans la confection des cocktails sans alcool, comme le lait et la crème fraîche, le café, le thé et le chocolat, utilisés en préparations froides, les sirops, qui apportent un très large éventail de couleurs mais aussi de goûts.
Enfin, on peut également inscrire glaces et sorbets sur la liste des ingrédients de base. Émulsionnés ou dispersés avec différents liquides, ils apportent de la fraîcheur à la recette ainsi qu'un renouvellement aromatique fort intéressant.

✿ Raisiné

Dans un shaker à demi rempli de glaçons, verser :
- *5/10 de jus de raisin rouge*
- *3/10 de jus d'orange*
- *2/10 de jus de citron*
- *1 cuillerée à soupe de miel.*

Bien frapper pour dissoudre le miel et passer dans de grands verres à pied. En saison, décorer de quelques grains de raisin en grappe.

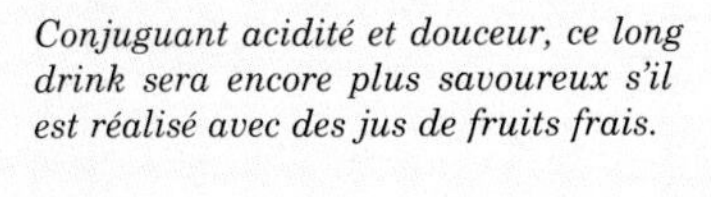

Conjuguant acidité et douceur, ce long drink sera encore plus savoureux s'il est réalisé avec des jus de fruits frais.

✿ Christine

Dans un verre tumbler, verser sur de la glace pilée :
- *2/10 de sirop de groseille*
- *8/10 de jus de pomme.*

Mélanger longuement puis servir avec une paille.

Très rafraîchissant et plutôt inhabituel, un vrai long drink désaltérant.

✿ Cinghalais

Dans un shaker à demi rempli de glaçons, verser :
- *4/10 de jus d'orange*
- *2/10 de jus d'ananas*
- *2/10 de jus de citron*
- *2/10 de thé froid Pur Ceylan*
- *1 cuillerée à café de sucre en poudre.*

Bien frapper et passer dans de grands verres tumbler. Se décore également d'une demi-tranche d'orange.

Un long drink exotique d'autant plus savoureux que le thé noir sera fort. Ne pas trop sucrer : les fruits s'en chargeront.

Honeymoon

Short drink • Digestif

Dans un shaker à demi rempli de glaçons, verser :
- *3/10 de miel liquide ou de sirop d'érable*
- *2/10 de jus de citron*
- *2/10 de jus d'orange*
- *3/10 de jus de pomme.*

Bien frapper et passer dans des verres à cocktail, puis décorer d'un zeste d'orange.

e gauche à droite :
ilkiwi
ussy foot
hristine
aisiné
inghalais

✿ Remontant

Passer au mixer 1 échalote pelée avec 1 jaune d'œuf et le jus d'un citron. Dans un shaker à demi rempli de glaçons, verser cette préparation avec :
- *5/10 de jus de tomate*
- *5/10 de jus de carotte*
- *1 pincée de sel de céleri.*

Bien frapper et passer dans de grands verres à cocktail.

Très désaltérant, ce long drink est aussi un bon reconstituant après un effort sportif.

✿ Andalou

Dans un shaker à demi rempli de glaçons, verser :
- *4/10 de jus de tomate*
- *3/10 de jus d'orange*
- *3/10 de jus de pamplemousse*
- *1 trait de Tabasco.*

Frapper et passer dans de petits verres tumbler. Saupoudrer de sel de céleri et mélanger. Se décore aussi d'une demi-rondelle de tomate et d'une demi-tranche d'orange.

C'est quasiment un bloody mary, mais sans la vodka. Surtout pour les amateurs de Tabasco et de sel de céleri.

✿ Frosty lime

Dans un verre à mélange contenant de la glace pilée, verser :
- *4/10 de jus de citron vert*
- *3/10 de jus de pamplemousse*
- *3/10 de sirop de menthe vert.*

Bien mélanger à la cuillère et passer dans des coupes à champagne dont les bords auront été givrés de sucre en poudre. Agrémenter éventuellement de menthe fraîche et d'une rondelle de citron vert.

Rafraîchissant comme sa couleur verte !

Tomato mint

Long drink • À tout moment

Dans un verre tumbler, verser sur quelques glaçons :
- *5/10 d'infusion de menthe refroidie*
- *5/10 de jus de tomate.*

Ajouter de petits dés de citron vert et remuer à la cuillère. Servir immédiatement.

De gauche à droite :
Remontant
Andalou
Frosty lime
Normand
Nain jaune
Piña colata

✿ Normand

Dans un grand verre tumbler, verser sur de la glace pilée :
- *2/10 de sirop de cassis*
- *5/10 de jus de pomme*
- *3/10 d'eau gazeuse.*

Mélanger assez longuement et servir directement.

Un excellent « antisoif », relativement peu calorique et dont on peut abuser...

✿ Nain jaune

Dans un shaker à demi rempli de glaçons, verser :
- *5/10 de crème fraîche liquide*
- *3/10 de sirop de fruit de la passion*
- *2/10 d'eau gazeuse*
- *1 trait de sirop d'orgeat*
- *1 jaune d'œuf.*

Frapper assez longuement et énergiquement, puis passer dans des verres à pied.

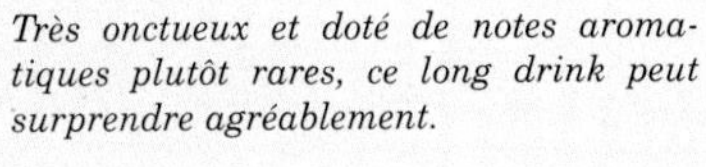

Très onctueux et doté de notes aromatiques plutôt rares, ce long drink peut surprendre agréablement.

✿ Piña colata

Dans un shaker à demi rempli de glaçons, verser :
- *6/10 de lait de coco*
- *3/10 de jus d'ananas*
- *1/10 de sirop d'orgeat.*

Frapper et passer dans de petits verres tumbler. Se décore aussi de morceaux d'ananas.

De quoi retrouver le goût de la piña colada... sans craindre les effets de l'alcool.

Martinique

Long drink • Apéritif

Dans un shaker à demi rempli de glaçons, verser :
- *2/10 de nectar de kiwi*
- *4/10 de nectar de fruit de la passion*
- *4/10 de nectar de banane.*

Frapper et passer dans des verres tumbler. Compléter avec un peu de tonic. Décorer d'une tranche d'orange.

Tropic menthe

Long drink • À tout moment

Dans un shaker à demi rempli de glaçons, verser :
- *2/10 de jus d'ananas*
- *3/10 de nectar de goyave*
- *4/10 de nectar de mangue*
- *1/10 de sirop de menthe.*

Frapper et passer dans des verres tumbler. Décorer d'une feuille de menthe.

Cocktails chauds

Les préparations chaudes à base d'alcool sont sans doute plus anciennes que les cocktails froids, voire glacés. Il aura fallu attendre en effet notre époque et l'invention du réfrigérateur pour disposer facilement de glaçons, alors qu'il y a tout de même plus longtemps qu'on sait faire chauffer une boisson !

Le grog, qui est certainement l'une des plus anciennes préparations du genre, a longtemps eu un usage avant tout thérapeutique : le « coup de fouet » apporté par le rhum additionné d'eau bouillante avait pour vertu de chasser les mauvaises fièvres, surtout si l'on y ajoutait quelques épices salutaires. Les cocktails chauds constituent donc d'abord des remontants puissants en cas de mauvais temps, quels que soient les ingrédients de base. Ceux-ci sont de plusieurs sortes :

- le café se marie fort bien avec nombre de liqueurs et d'eaux-de-vie. Arabica (plus suave et plus aromatique) ou robusta (plus corsé), le choix dépend des préférences de chacun, mais il faudra de toute façon réaliser un café fort et serré afin que ses qualités ne disparaissent pas trop lors du mélange. Il est souhaitable d'utiliser du café frais ;
- le thé sera de préférence noir et fort en goût, qu'il provienne d'Inde ou de Ceylan. On écartera les variétés plus subtiles (jasmin, orange pekoe, darjeeling), qui imprègnent moins les préparations ;
- les infusions de plantes peuvent donner aussi des créations très intéressantes, apportant des saveurs nouvelles ;
- les eaux-de-vie, à commencer par le rhum, mais aussi le cognac, le whisky, etc., exhalent davantage leur force et leurs arômes lorsqu'elles sont soumises à la chaleur. Mais on évitera l'ébullition, qui fait disparaître le meilleur de leurs arômes dans l'atmosphère ;
- le vin, et tout particulièrement le porto, se prête également fort bien aux cocktails chauds.

Ajoutons que plusieurs épices (cannelle, muscade, cardamome notamment) relèvent fort agréablement le goût de nombreuses préparations. À l'image de l'irish coffee, qui était originellement un cocktail remontant et devient progressivement un dessert, les cocktails chauds évoluent et s'apprécient de plus en plus comme des gourmandises plutôt que pour leurs vertus réconfortantes. En leur incorporant des liqueurs, du peppermint par exemple, ou de la crème fraîche, il y a sans doute encore bien des créations à espérer dans cette direction...

Même si les cocktails chauds restent des remontants puissants évoquant la magie des paysages enneigés, ils s'apprécient de plus en plus comme des gourmandises à part entière.

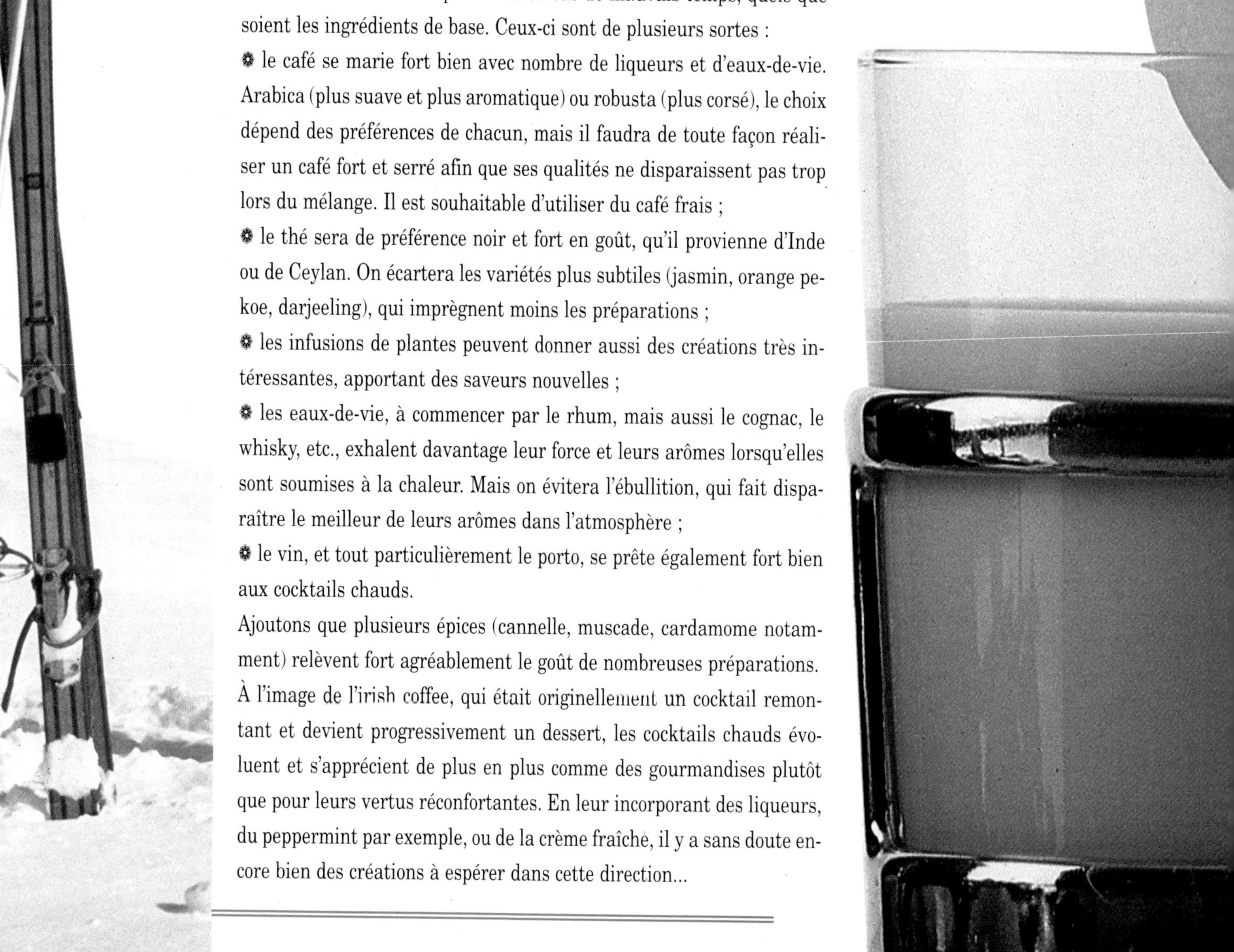

✿ Brandy blazer

Dans un verre à anse au bord givré de sucre en poudre, verser :
- *5/10 de café noir chaud*
- *3/10 de cognac*
- *2/10 de liqueur de café*
- *1 cuillerée à café de sucre en poudre.*

Bien remuer, ajouter un zeste d'orange et servir aussitôt.

Puissant et plutôt tonique, à savourer de préférence après le repas.

Eggnog

Dans un verre à anse, verser :
- *1 jaune d'œuf*
- *1/10 de Cointreau*
- *3/10 de cognac*
- *6/10 de lait bouillant*
- *1 pincée de cannelle.*

Bien remuer à la cuillère et servir aussitôt.

Cette variante chaude du brandy eggnog (voir page 63) peut aussi se préparer avec du rhum ambré.

Grog alsacien

Dans un verre à anse, verser :
- *4 cl de rhum ambré*
- *1 cuillerée à café de sucre*
- *1 clou de girofle*
- *le jus d'un demi-citron*
- *2 cl de liqueur de bourgeon de sapin.*

Compléter avec un peu d'eau bouillante et saupoudrer de cannelle. Servir aussitôt.

✿ Vin chaud

Dans une casserole, verser :
- *15 cl de vin rouge corsé*
- *2 cl de cognac*
- *1 cuillerée à café de sucre en poudre (ou de miel)*
- *1 tranche de citron*
- *1 clou de girofle*
- *1 pincée de cannelle en poudre.*

Chauffer jusqu'à la limite de l'ébullition. Servir dans un verre à anse ou un verre à pied résistant à la chaleur.

Passé à la postérité pour avoir été servi aux soldats dans les tranchées, le vin chaud peut plaire à de nombreux civils...

Hot bullshot

Dans une grande tasse à anse, verser :
- *5/10 de bouillon de bœuf chaud*
- *3/10 de vodka*
- *2/10 de jus de citron*
- *1 cuillerée à café de sauce Worcestershire*
- *1 trait de Tabasco.*

Bien remuer et servir chaud.

✿ Lait de poule

Dans un shaker, verser :
- *7/10 de lait bouillant*
- *2/10 de rhum ambré*
- *1/10 d'extrait de vanille liquide*
- *1 jaune d'œuf*
- *1 cuillerée à soupe de sucre en poudre.*

Bien agiter, en prenant soin d'entourer le shaker d'un linge pour éviter la chaleur du métal, et servir aussitôt dans des verres à anse.

Cette recette est destinée aux adultes. Pour les enfants, il est préférable d'éviter de mettre du rhum...

De gauche à droite :
Brandy blazer
Eggnog
Vin chaud
Lait de poule
Choco-punch
Sunset tea
Tom and jerry

Apple toddy

Mélanger et laisser macérer pendant 3 jours au frais :
- *100 g de compote de pomme*
- *20 cl de cognac*
- *10 cl de liqueur de pêche.*

Au moment de servir, ne pas oublier d'ajouter 2 cuillerées à soupe de compote dans les verres. Compléter avec de l'eau bouillante et décorer d'une rondelle de citron.

Vin aux cerises

(pour 6 personnes)

Dans une casserole, verser :
- *250 g de cerises au sirop*
- *20 morceaux de sucre*
- *1 bouteille de vin blanc sec.*

Faire frémir pendant 20 minutes. Puis servir brûlant dans des verres à anse ou à pied résistant à la chaleur.

✿ Sunset tea

Dans une casserole, verser :
- *20 cl de thé noir*
- *1 cl de rhum ambré*
- *4 cl de Cointreau*
- *8 cl de jus d'orange.*

Faire chauffer. Mélanger et servir avant ébullition dans un verre à anse. Décorer d'une tranche d'orange avec des clous de girofle.

Parfumé et tonique, à réaliser de préférence avec un thé bien corsé.

✿ Choco-punch

Dans une casserole, verser :
- *15 cl de lait*
- *2 cuillerées à café de chocolat en poudre*
- *1 cuillerée à café de café soluble*
- *1 cuillerée à café de sucre en poudre*
- *4 cl de liqueur de café.*

Faire chauffer à feu doux, bien remuer pendant la cuisson et servir avant ébullition dans un verre à pied résistant à la chaleur. Ajouter de la crème fouettée avant de saupoudrer de cannelle.

Mi-cocktail, mi-dessert, il se savoure par temps froid ou sous la canicule.

✿ Tom and jerry

Dans un grand verre résistant à la chaleur, verser :
- *1 jaune d'œuf*
- *6/10 de rhum ambré*
- *4/10 de cognac*
- *1 cuillerée à café de sucre en poudre*
- *3 pincées de poivre*
- *3 pincées de cannelle.*

Bien mélanger à la cuillère et incorporer 1 blanc d'œuf battu en neige. Ajouter de l'eau bouillante et saupoudrer de muscade râpée.

Puissant et reconstituant, il permet de réveiller les énergies les plus assoupies.

CHAUD DEVANT !

Le service des cocktails chauds demande quelques précautions :

- tenir compte de la résistance des verres à la chaleur.

- entourer le shaker d'une serviette avant de le remuer.

- ébouillanter les verres et les tasses avant de les remplir, ainsi la préparation restera chaude plus longtemps.

- prévoir des sous-verres pour éviter de marquer le mobilier.

✿ Green coffee

Dans un verre à anse, verser :
- *6/10 de café noir chaud et très fort*
- *2/10 de peppermint*
- *2/10 de crème fraîche liquide.*

Remuer et servir après avoir nappé de crème Chantilly.

Un « after-dinner » original pour sa combinaison de menthe et de café.

✿ Hot bishop

Dans une casserole, verser :
- *20 cl d'eau*
- *1 cuillerée à soupe de sucre en poudre*
- *2 clous de girofle.*
- *1 pincée de cannelle*

Faire chauffer et laisser réduire de moitié. Ajouter 20 cl de porto ruby et continuer à chauffer tout en remuant. Avant ébullition, verser le tout dans un verre à anse et ajouter 2 cl de cognac ainsi que le jus d'un demi-citron. Se sert très chaud, avec un zeste de citron.

Un grog à l'anglaise, idéal pour réchauffer les froides et humides soirées d'automne.

✿ Vallée d'auge

Dans une casserole, verser :
- *8/10 de lait frais*
- *2/10 de calvados.*

Faire chauffer. Avant ébullition, ajouter 1 jaune d'œuf battu en crème avec 1 cuillerée de sucre en poudre. Bien mélanger et servir chaud dans des verres à anse. Saupoudrer de cannelle et décorer d'une rondelle de pomme.

Lait et calvados, un mélange qui ne peut pas être plus normand...

Night cap

Dans une casserole, verser :
- *25 cl de bière blonde*
- *4 cl de whisky*
- *1 cuillerée à café de chocolat en poudre.*

Faire chauffer. Avant ébullition, ajouter hors du feu 2 jaunes d'œufs préalablement battus avec 2 cuillerées à café de sucre en poudre. Bien remuer pour obtenir un mélange homogène. Servir dans un verre à anse et saupoudrer de cannelle. Décorer d'une rondelle de citron.

De gauche à droite :
Green coffee
Hot bishop
Vallée d'auge
Irish coffee
Grog

✿ Irish coffee

Dans un verre épais à pied, ou dans un verre à anse, verser :

- *2/10 de whiskey irlandais*
- *8/10 de café noir chaud et sucré.*

Napper de crème fraîche soit liquide, soit fouettée. Servir aussitôt, avec une paille.

Ce cocktail, car c'en est un, même s'il est souvent servi en dessert, se déguste avec une paille qu'on fait aller et venir entre les différents niveaux.

Verveine créole

Dans un verre à anse, laisser infuser 1 sachet de verveine dans de l'eau bouillante. Retirer le sachet et verser :

- *le jus d'un citron*
- *2 cl de rhum ambré*
- *2 cuillerées à café de sucre en poudre*
- *1 pincée de cannelle.*

Bien mélanger à la cuillère et servir chaud.

Spécial anis

Dans un verre résistant à la chaleur, verser :

- *4 cl de cognac*
- *2 cl de pastis*
- *1 cuillerée à café de sucre en poudre*
- *1 pincée de cannelle.*
- *1 grande tasse de café noir brûlant.*

Servir aussitôt.

Rhum-orange

Dans un verre à anse rempli d'eau bouillante, laisser infuser 1 sachet de fleur d'oranger. Retirer le sachet et verser dans le verre :

- *2 cl de rhum ambré*
- *1 cuillerée à café de sucre en poudre.*

Remuer et servir aussitôt.

Ski bunny

Dans une casserole, verser :

- *25 cl de bière blonde*
- *2 cl de cognac*
- *4 cl de gin ou de schnaps*
- *1 pincée de cannelle*
- *1 pincée de gingembre râpé.*

Faire chauffer doucement. Battre 3 jaunes d'œufs dans un récipient résistant à la chaleur, puis y verser très délicatement la préparation chaude en remuant pour obtenir un mélange homogène. Servir dans des verres à pied bien résistant à la chaleur et décorer d'un zeste de citron.

✿ Grog

Dans un verre à anse, verser :

- *4 cl de rhum ambré*
- *1 morceau de sucre de canne*
- *2 clous de girofle*
- *le jus d'un demi-citron*
- *1 pincée de cannelle.*

Ajouter de l'eau bouillante et servir aussitôt.

À déguster le plus chaud possible. Selon le proverbe britannique : « Si le grog ne tue pas le microbe, il lui fait toujours passer un bon moment »... Ce qui n'empêche pas de l'apprécier sans être malade.

Glossaire

A

Advokaat :
Liqueur douce des Pays-Bas, à base de jaunes d'œufs, d'aromates (genièvre) et d'eau-de-vie, de couleur jaune. Elle existe aussi parfumée au café ou au chocolat.

Ale :
Bière anglaise traditionnelle, de fermentation haute, moyennement alcoolisée.

Amande :
Graine de l'amandier, dont le goût spécifique se retrouve dans le sirop d'orgeat ou dans les liqueurs comme l'amaretto italien.

Amers :
Appelée également « bitters », cette famille de spiritueux à base de plantes macérées dans l'alcool et à saveur amère plus ou moins prononcée est d'une grande diversité. Certains s'utilisent à l'apéritif, comme le Picon, le Campari, le Punt e Mes ou encore le San Pellegrino (sans alcool), d'autres, plus concentrés, sont utilisés à petites doses, comme le Fernet-Branca ou l'Angostura.

Angostura :
Amer alcoolisé (44°) à base de rhum, du nom de la ville du Venezuela où il fut élaboré en 1824. Comme il est très concentré, il suffit de quelques gouttes pour aromatiser un cocktail.

Anis :
Plantes aromatiques donnant le goût dominant du pastis (à partir de l'anis étoilé) et des anisettes (utilisant l'anis vert).

Anisette :
Liqueur à l'anis, contenant 250 g/l de sucre. Très répandue dans le bassin méditerranéen, l'anisette s'appelle sambuca en Italie. En France, la plus ancienne est l'anisette de Bordeaux (Marie Brizard).

Apricot Brandy :
Liqueur d'abricot, obtenue par macération des fruits dans l'alcool.

Aquavit :
Alcool de grain ou de pomme de terre, distillé notamment en Europe du Nord et parfois vieilli en fûts.

Arak ou raki :
Alcool d'Asie, le plus souvent anisé, notamment au Proche-Orient (Liban, Turquie, etc.).

B

Banyuls :
Vin doux naturel d'appellation d'origine contrôlée, provenant de la région de Banyuls, dans les Pyrénées-Orientales.

Bénédictine :
Liqueur élaborée depuis un siècle à Fécamp, selon une ancienne recette de moines bénédictins, à base d'herbes aromatiques et d'épices.

Bourbon :
Whisky américain élaboré à partir d'au moins 51 % de maïs.

Brandy :
Appellation britannique pour les eaux-de-vie, plus spécialement pour celles à base de vin. En Grande-Bretagne, ce mot est synonyme de cognac.

Byrrh :
Apéritif à base de vin aromatisé au quinquina et au curaçao et vieilli trois ans en fûts.

C

Cacao :
Crème ou liqueur élaborée à partir de fèves de cacao. Certaines de ces crèmes sont incolores.

Café :
Crème ou liqueur élaborée à partir de grains de café, plus ou moins alcoolisée.

Campari :
Amer italien à base de vin, coloré en rouge à la cochenille.

Cassis :
Crème ou liqueur élaborée à partir du fruit du même nom, et sucrée. Les plus réputées proviennent de Dijon et de la Côte d'Or.

Céleri :
Plante potagère dont on tire le sel de céleri, utilisé pour aromatiser différents cocktails, notamment ceux à base de tomate.

Chartreuse :
Liqueur élaborée à base de plantes selon la recette des moines chartreux. On distingue la Chartreuse verte (55°) et la Chartreuse jaune (40°).

Cherry brandy :
Liqueur obtenue par macération de cerises dans l'alcool.

Cidre :
Jus de pomme fermenté, légèrement gazeux. Peut remplacer la bière ou le champagne dans de nombreuses recettes de long drinks.

Cobbler :
Long drink élaboré principalement à base de fruits ou de jus de fruits frais, accompagnés de vins ou d'alcools.

Cocktail Master :
appareil permettant d'obtenir sans difficulté des cocktails où les divers ingrédients forment plusieurs couches superposées, grâce aux différences de densité.

Cointreau :
Liqueur élaborée à partir d'écorces d'oranges de différentes variétés macérées dans de l'alcool. Elle appartient à la famille des triples-secs.

Collins :
Long drink élaboré directement dans un verre tumbler, associant un spiritueux avec du jus de citron, de la glace et de l'eau gazeuse.

Crémant :
Vin effervescent de bonne qualité, faisant l'objet d'une appellation spécifique.

Crème :
Liqueur ayant plus de 400 g/l d'alcool.

Curaçao :
Liqueur à base d'orange amère, d'origine hollandaise, et portant le nom d'une île des Antilles néerlandaises. À l'origine incolore, le curaçao peut être également bleu, vert ou rose, apportant une note originale dans les cocktails.

Cynar :
Amer italien à base d'artichaut. Il s'utilise dans les cocktails, notamment avec la bière.

D

Drambuie :
Liqueur à base de scotch whisky et d'herbes, aromatisé au miel de bruyère.

Dubonnet :
Apéritif à base de vin du Roussillon et aromatisé au quinquina.

E

Eggnog :
Cocktail chaud ou froid, à base d'œuf et de lait.

F

Fernet-Branca :
Marque d'amer italien, également élaboré en France et en Suisse, à l'amertume très marquée.

Fizz :
Type de long drink contenant du jus de citron et, souvent, du gin.

Flip :
Cocktail à base de jaune d'œuf élaboré au shaker.

Flotteur :
Long drink obtenu en remplissant un verre d'eau gazeuse aux deux tiers, puis en nappant délicatement la surface d'une eau-de-vie ou d'une liqueur.

G

Galliano :
Liqueur italienne élaborée avec un grand nombre d'herbes et de fleurs, d'une belle couleur jaune dorée.

Genièvre :
Baie du genévrier, utilisée pour aromatiser le gin. C'est aussi le nom du seul alcool de grain français, élaboré dans le Nord à partir de seigle, de blé, d'avoine et d'orge.

Gentiane :
Plante de montagne, dont la racine sert à l'élaboration de plusieurs liqueurs, apéritifs et digestifs.

Ginger ale :
Eau gazeuse aromatisée au gingembre, très utilisée en Grande-Bretagne et aux États-Unis dans les long drinks. Le Canada Dry est la boisson la plus proche.

Grand Marnier :
Liqueur à base d'écorce d'orange et de cognac, élaborée depuis 1880 par la société Marnier-Lapostolle. Le Cordon Rouge est le plus utilisé dans les cocktails.

Grog :
Cocktail chaud unissant un spiritueux (rhum, mais aussi whisky, cognac, calvados) à de l'eau chaude et du sucre ou du miel, et aromatisé à la cannelle et au citron.

Guignolet :
Liqueur de cerise moins alcoolisée que le cherry brandy et consommée à l'apéritif. Le guignolet est souvent associé au kirsch.

H

Highball :
Long drink associant directement dans un grand verre un spiritueux, un soft drink et de la glace.

I

Indian tonic :
Boisson gazeuse aromatisée par des extraits naturels

de fruits et de plantes, dont le quinquina. Le Schweppes en est la marque la plus répandue.

Izarra :
Liqueur du Pays basque, à base d'armagnac, de plantes et d'herbes aromatiques. La verte (48°) est plus forte que la jaune (40°).

J

Julep :
Cocktail ayant pour dominante la menthe fraîche, dont les feuilles sont ciselées ou écrasées dans de la glace pilée.

K

Kahlua :
Liqueur à base de grains de café, originaire du Mexique et titrant 26°.

Ketchup :
Condiment anglo-saxon aigre-doux, le plus souvent à base de tomates, et parfois épicé *(hot ketchup).*

Kibowi :
Liqueur exotique à base de kiwi, d'une couleur verte.

Kir :
Apéritif à base de vin blanc et de crème de cassis. Cette recette traditionnelle de Bourgogne porte le nom du chanoine Kir, qui, en tant que maire, en fit l'apéritif officiel de l'hôtel de ville de Dijon.

Kirsch :
Eeau-de-vie de cerise, très aromatique. Ne pas confondre avec le kirsch fantaisie, qui est un alcool neutre simplement parfumé avec un peu de kirsch.

Kummel :
Liqueur sucrée au goût anisé, aromatisée surtout avec le carvi, traditionnelle dans les pays d'Europe du Nord.

M

Madère :
Vin de liqueur originaire de l'archipel de l'océan Atlantique.

Malaga :
Vin liquoreux espagnol provenant de la région de Torremolinos.

Malibu :
Liqueur douce et incolore, à base de rhum et parfumée à la noix de coco ou au citron vert.

Mandarine impériale :
Liqueur à base d'écorce de mandarine.

Marasquin :
Liqueur italienne *(maraschino),* élaborée à partir d'une variété particulière de cerise griotte.

Marc :
Eau-de-vie distillée à partir des résidus solides du pressage du raisin.

Marsala :
Vin de liqueur provenant de Sicile, se consommant surtout à l'apéritif.

Martini & Rossi :
Marque de vermouths italiens créée en 1879, la plus connue dans le monde, se déclinant en *rosso, bianco,* dry, rosé et amer.

Mezcal :
Eau-de-vie mexicaine élaborée à partir de l'agave, plus rustique que la tequila. Certaines bouteilles contiennent un ver provenant de la plante.

Midori :
Liqueur douce à base de melon, de couleur verte, élaborée au Japon par Suntory.

Mistelle :
Assemblage de jus de raisin frais et d'eau-de-vie venant de la même région, comme le pineau des Charentes ou le floc de Gascogne.

Monin :
Maison de liqueurs et de sirops de qualité, d'une grande diversité de goûts et d'arômes. Connue notamment pour son Original Triple Lime, le Monin's, un triple-sec à base de cognac, de citron et de citron vert.

N

Noilly-Prat :
Marque française de vermouth, produite dans le Languedoc, à Marseillan.

O

Old fashioned :
Type de verre bas et large, utilisé surtout pour le service du whisky. C'est aussi une sorte de cocktail à base de whisky ou d'eau-de-vie et aromatisé à l'Angostura.

Orgeat :
Sirop à base d'amande et de fleur d'oranger.

Ouzo :
Apéritif grec à base d'anis, incolore et qui se boit pur ou avec de l'eau fraîche.

P

Parfait Amour :
Liqueur à base de citron, de cédrat et de girofle, colorée en rouge pourpre et parfumée à la violette. Populaire entre les deux guerres, sa consommation est aujourd'hui anecdotique.

Pernod :
L'un des plus anciens apéritifs anisés, datant de 1792 et qui fit autrefois partie des absinthes. Le Pernod actuel, apparu en 1922, se distingue des pastis par l'absence de caramel.

Passoã :
Liqueur à base de jus de fruit de la Passion d'une couleur rouge vif.

Picon :
Marque d'une liqueur amère, à base d'orange, de gentiane et de quinquina. S'utilise à l'apéritif, en association avec de la bière ou du vin blanc et du sirop de citron.

Pils :
Type de bière blonde de fermentation basse, moyennement alcoolisée. Venant de la ville de Pilsen, en République tchèque, où elle a été mise au point pour la première fois, la bière pils est le type le plus répandu actuellement dans le monde.

Pimm's :
Marque de liqueur, créée à Londres en 1840, essentiellement à base de gin (Pimm's n° 1). Très désaltérant, il

s'accompagne de limonade, de tranches d'orange et de citron et de glace. Il existe aussi un Pimm's n° 6 à base de vodka.

Pippermint Get :
Crème de menthe fraîche créée en 1796 par les frères Get. C'est en déformant involontairement le nom anglais de la menthe poivrée *(peppermint)* que son nom lui fut donnée.

Pisang Ambon :
Marque de liqueur de type exotique, d'une belle couleur verte.

Pisco :
Eau-de-vie de vin du Chili et du Pérou, à base de cépage moscatel. Très aromatique, il donne une note particulière aux cocktails.

Pousse-café :
Ce terme désigne notamment un cocktail digestif constitué par plusieurs étages de liquides diversement colorées. Reposant sur le principe de la différence de densité, il se réalise en versant doucement chaque produit sur le dos d'une cuillère ou en utilisant un Cocktail Master.

Q

Quinquina :
Arbre originaire de la cordillère des Andes, cultivé aussi aux Indes, au Sri Lanka, en Afrique et dans le Caucase, et fournissant la quinine. C'est aussi un tonique à l'amertume prononcée, utilisé pour aromatiser des apéritifs à base de vin (Byrrh, Ambassadeur, Dubonnet, Saint-Raphaël, etc.).

R

Ruby :
Porto rouge clair, ayant peu vieilli. Très utilisé dans les cocktails.

Rye :
Whiskey américain élaboré principalement à base de seigle, provenant de la Pennsylvanie et du Maryland.

S

Safari :
Marque de liqueur, aux arômes de fruits exotiques marqués.

Saké :
Spiritueux japonais, moyennement alcoolisé, à base de riz fermenté et purifié. Il se sert tiède ou chaud dans de petites coupelles.

Schnaps :
Eau-de-vie de grain ou de pomme de terre élaborée dans le nord de l'Europe, assez rustique. Se consomme très souvent en même temps que la bière.

Soda :
Eau gazeuse, généralement peu minéralisée. Autrefois conditionné industriellement en siphons pour les cafés, il est aujourd'hui remplacé par les marques d'eau gazeuse prête à l'emploi.

Soft drink :
Famille de boissons sans alcool gazéifiées, aromatisées avec des extraits de fruits, de cola, etc.

Sour :
Short drink à base de jus de citron et de spiritueux (whisky surtout, mais aussi gin ou rhum), recherché pour son astringence.

Southern Comfort :
Liqueur américaine du Missouri, à base de pêches macérées dans le bourbon et parfumée au citron.

Stout :
Type de bière très foncée, voire noire, élaborée en Grande-Bretagne et en Irlande. Peu alcoolisé, il constitue une excellente base pour les cocktails.

Suze :
Marque d'apéritif à base de gentiane.

T

Tabasco :
Sauce américaine piquante, élaborée avec des piments rouges macérés dans le vinaigre et d'autres épices.

Tia Maria :
Liqueur jamaïquaine à base de rhum et d'essence de café. Se boit nature ou en cocktails.

Triple-sec :
Liqueur douce et sucrée, parfumée à l'orange. Le curaçao et de grandes marques comme Grand Marnier et Cointreau appartiennent à la famille des triples-secs.

V

Vesou :
Jus de la canne à sucre permettant d'élaborer le rhum agricole.

Vin doux naturel :
Famille de vins mutés à l'eau-de-vie élaborés dans le sud de la France (rivesaltes, banyuls, maury, etc.). Ils peuvent être utilisés à la place des portos dans les recettes de cocktail.

VS (Trois Étoiles) :
Dénomination fondée sur l'âge pour les cognacs, les armagnacs et les calvados. Cette qualité, plus courante que les VSOP ou les XO, est la plus indiquée pour être utilisée en cocktails.

W

Williams :
Variété de poire juteuse, très aromatique, qui donne l'une des plus fines eaux-de-vie de poire.

Worcestershire (sauce) :
Condiment anglais assez épicé, élaboré à partir d'extraits de viande, de mélasse, d'anchois, d'ail et d'échalote. Elle relève la saveur de plusieurs cocktails.

X

Xérès ou sherry :
Vins mutés à l'eau-de-vie provenant du sud de l'Espagne. Il en existe de nombreuses variétés, des plus secs *(fino, amontillado, manzanilla)* aux plus sucrés *(oloroso, amoroso, cream)*.

Index

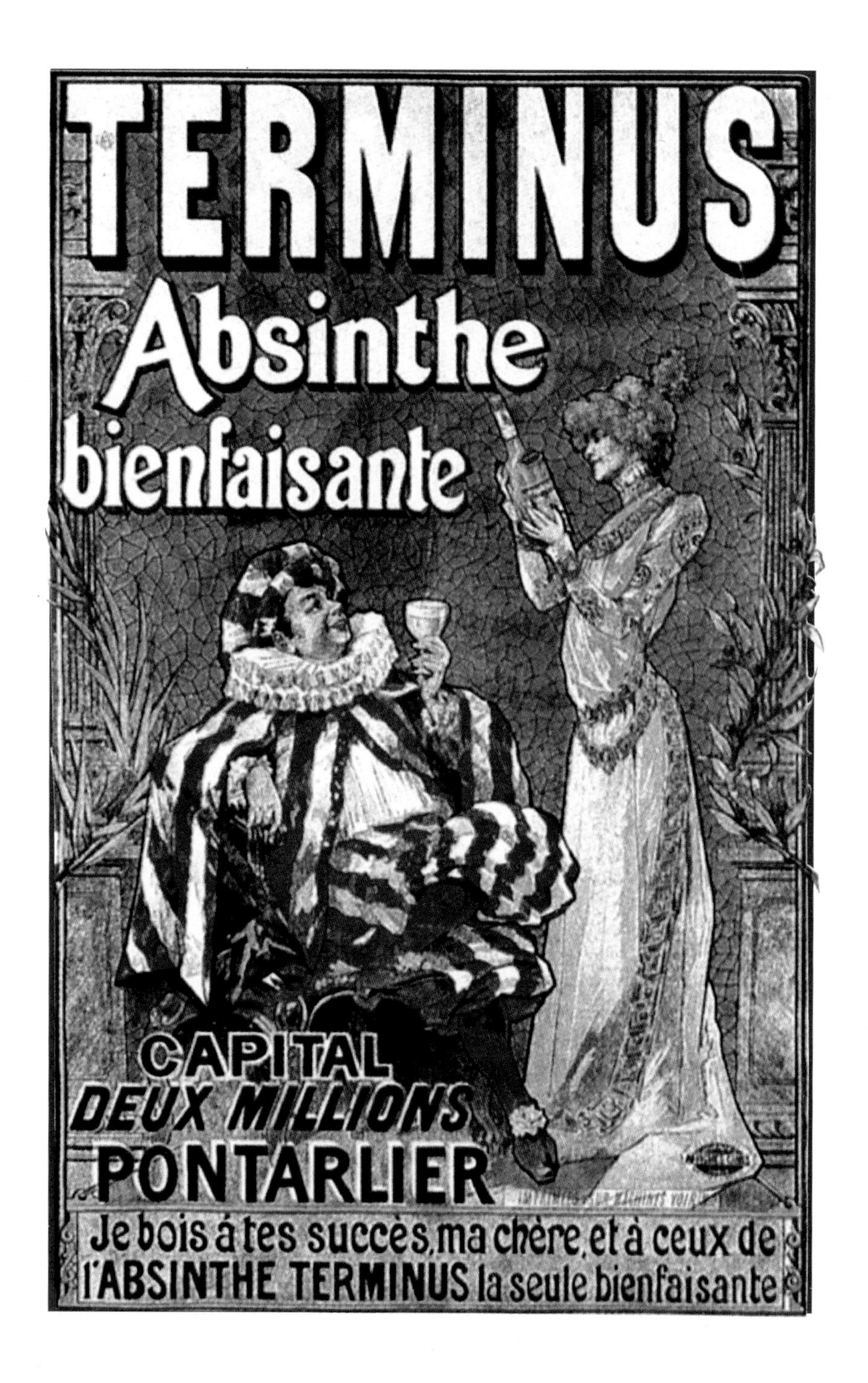
TERMINUS
Absinthe
bienfaisante
CAPITAL
DEUX MILLIONS
PONTARLIER
Je bois à tes succès, ma chère, et à ceux de
l'ABSINTHE TERMINUS la seule bienfaisante

Remerciements

Tous les verres nous ont été gracieusement prêtés par la maison Arcoroc/Luminarc/Cristal d'Arques/J.G. Durand à l'exception de (de gauche à droite) :

Baccarat : p. 16 : 2e et 3e ; p. 18 : 4e ; p. 21 : 1er ; p. 24 : 1er ; p. 26 : 2e ; p. 27 : 2e et 3e ; p. 28 : 3e : p. 40 : 2e et 3e ; p. 42 : 2e ; p. 53 : 1er ; p. 57 : 3e ; p. 61 : 1er ; p. 66 : 2e ; p. 67 : 4e ; p. 69 : 2e ; p. 78 : 2e et 3e ; p. 79 : 1er ; p. 83 : 1er et 3e ; p. 96 : 1er et 4e ; p. 102 : 2e ; p. 103 : 3e.

Lalique, Jean-Louis Coquet et Cristalleries de Lorraine : p. 17 : 2e ; p. 18 : 2e ; p. 19 : 2e ; p. 20 : 3e ; p. 25 : 1er ; p. 26 : 2e ; p. 29 : 1er ; p. 32 : 4e ; p. 34 : 1er et 2e ; p. 38 : 2e ; p. 39 : 2e ; p. 43 : 1er ; p. 49 : 3e ; p. 52 : 1er et 2e ; p. 57 : 2e ; p. 60 : 1er et 2e ; p. 69 : 1er ; p. 71 : 2e et 3e ; p. 74 : 4e ; p. 84 : 1er et 2e ; p. 85 : 3e ; p. 97 : 2e ; p. 101 : 1er.

Décorations : poissons : p. 17, 41, 45, 84 ; frangipanier : p. 19, 45, 92 ; escargot : p. 34 ; scarabée : p. 42 ; papillons : p. 53, 92, 93.

Pier Import : p. 20 : 2e ; p. 25 : 2e ; p. 28 : 2e ; p. 32 : 3e ; p. 33 : 2e : p. 35 : 3e ; p. 42 : 3e ; p. 50 : 1er et 3e ; p. 51 : 1er ; p. 52 : 4e ; p. 53 : 2e ; p. 56 : 1er ; p. 57 : 1er et 4e ; p. 62 : 2e ; p. 63 : 1er et 4e ; p. 67 : 2e ; p. 75 : 2e ; p. 79 : 3e ; p. 92 : 3e ; p. 108 : 3e

Saint-Gobain : p. 21 : 3e ; p. 27 : 1er ; p. 29 : 3e ; p. 51 : 3e ; p. 63 : 3e : p. 74 : 2e ; p. 75 : 4e ; p. 79 : 2e ; p. 109 : 4e.

Nous remercions vivement ces maisons pour leur aimable collaboration.

Arcoroc/Luminarc/Cristal d'Arques/J.G. Durand, 6, place des États-Unis, 75016 Paris ; tél. : (16 1) 47 20 06 09.

Baccarat, 30 bis, rue de Paradis, BP 89, 75462 Paris Cedex 10 ; tél. : (16 1) 47 70 64 30.

Lalique, 11, rue Royale, 75008 Paris ; tél. : (16 1) 42 66 52 40.

Pier Import, 40, av. des Champs-Élysées, 75008 Paris ; tél. : (16 1) 45 61 23 71.

Saint-Gobain, 7, rue du Petit-Bois, BP 1, 45380 La Chapelle-Saint-Mesmin ; tél. : (16) 38 71 88 22.

Nous remercions également la maison Chomette-Favor, sans laquelle les pages techniques n'auraient pu être réalisées.

Chomette-Favor, 1, rue René-Clair, 91355 Grigny ; tél. : (16 1) 69 02 55 00.

Crédits photographiques

Les photographies proviennent de l'agence GLMR :

p. 6 : Devanture de café : Lois Lammerhuber : p. 16 : Jean Guichard, falaises de Moher, Irlande ; p. 18 : Fred Carol, dompteurs de vagues ; p. 22, 26, 28 : Cyril Letourneur, monastère de Valaam, Carélie russe ; p. 23, 97 (à droite) : Lois Lammerhuber, Budapest ; p. 24/25 : Richard Manin, bains hongrois ; p. 29 : Stein P. Aasheim, Sibérie ; p. 31, 33, 34 : François Perri, Mexique ; p. 35, 50/51 : Éric Pasquier, États-Unis ; p. 38 : Cyril Letourneur, Madagascar ; p. 40, 44/45 : Cyril Letourneur, Mayotte ; p. 41 : Cyril Letourneur, Sicile ; p. 45 (en haut) : Arne Hodalic, Tanzanie ; p. 46 : Fred Carol, États-Unis ; p. 47, 48, 50 (à gauche) : Anna Clopet, Écosse ; p. 49 : Patricio Estay, États-Unis ; p. 53 : Jean Guichard, Californie ; p. 55, 56 : Lois Lammerhuber, récolte des pommes ; p. 58, 86, 90 : Erik Sampers, Champagne ; p. 64 : Philippe Hurlin, masques de Sardaigne ; p. 65, 70, 71 : Arne Hodalic, Venise ; p. 66, 69 : Nicolas Reynard, gondoles à Venise ; p. 73 : Lois Lammerhuber, Andalousie ; p.78 : Philippe Hurlin, îles des Cyclades, Grèce ; p. 83 : Lois Lammerhuber, Tyrol, Autriche ; p. 85 : Cyril Letourneur, fleur d'oranger en Tunisie ; p. 88/89 (en haut) : Lois Lammerhuber, Castille ; p. 91 : J.-M. Truchet, Versailles ; p. 93 : Éric Sander, États-Unis ; p. 94 : Lois Lammerhuber, région du Neusiedlersee, Autriche ; p. 106 : C. Cabrol, Suisse ; p. 107 : Erik Sampers, Islande ; p. 108 : E. Sailler, Évolène, Suisse ; p. 109 : E. Sailler, chêne sous la neige en Corse ; p. 111 : Robert Battistini, l'Alpe-d'Huez ;

à l'exception de :

Matthieu Prier, p. 14 : pub à Londres ; **Andréa Lebelle** : p. 15 : pub à Jersey ; p. 20 : terrasse d'un des plus anciens clubs de golf, Dinard ; p. 27 : bison ; p. 30 : agave ; p. 36 : vanille Bourbon, la Réunion ; p. 37 : les Antilles ; p. 39 (en haut) : ancien emblème de la plantation Isautier, Saint-Louis, la Réunion ; p. 39 (à droite) : bar local à la Réunion ; p. 43 : bananier ; p. 45 (à droite) : douceur de vivre chez les créoles de la Réunion ; p. 52, 98, 99, 100, 101, 102, 103, 104, 105 : Bali ; p. 54 : fleurs de pommier ; p. 63 : La Rochelle ; p. 68 : Sienne ; p. 72 : azulejo ; p. 74 : port, Madère ; p. 76 : toute la Provence dans ses personnages ; p. 81 : patio à Marrakech ; p. 82 : cerises ; p. 87 et 89 : Fayence ; p. 95 : restaurant alsacien ; p. 110 (en bas à droite) : feu de cheminée ; p. 110 (en haut) : chalet de montagne.

p. 4, 5 ; collection privée ; p. 57 : pomme, **Bureau national du calvados** ; p. 60 : A. Danvers, tonneau, **B.N.I.C.** ; p. 61 : A. Verrou, vigne, **B.N.I.C.** ; p. 62 (à gauche) : J.-Y. Boyer, fabrication de barriques, **B.N.I.C.** ; p. 62 (en haut) : grappe de raisin, **B.N.I.C** ; p. 67 : publicité (D.R.) ; p. 75 (à gauche) : publicité (D.R.) ; p. 75 (à droite) : cave à porto (D.R.) ; p. 77 : Fès, **Office national marocain de tourisme** ; p. 79 : Merja Zerga, **Office national marocain de tourisme** ; p. 80 : framboise, **photothèque Joseph-Cartron** ; p. 84 : alambics en cuivre rouge, **photothèque Pagès** ; p. 85 (en haut), champ de cassis, **photothèque Joseph-Cartron** ; p. 97 (en haut), 112, 116, 119 : publicité (D.R.)